人と空間が生きる音デザイン

12の場所、12の物語

小松正史

昭和堂

はじめに——どうして音のデザインなのか

音ひとつで、空間は好転する。

ＢＧＭをご存じだろうか。バックグラウンド・ミュージックの略で、空間で鳴らす背景音楽のこと。音楽を使って空間をポジティブな印象に変えることは、読者の方も実践済みだろう。

では、ＢＧＮをご存じだろうか。バックグラウンド・ノイズの略で、空間にあるノイズのこと。周囲にあるノイズが空間をネガティブな印象にし、不快感を引き起こす。ＢＧＭは知られているが、ＢＧＮは意識されづらい。ここに、大きな問題と可能性がある。

カフェに入ったとしよう。店内は混雑していて、会話やイスを引く音、換気のためのダクト音が響く。明らかにＢＧＮレベルが大きい状態だ。ＢＧＮに負けないように、ＢＧＭが高らかに鳴り響いている。

ドアを開けた瞬間、ぼくは音に反応し、反射的に店に入るのを止める。音のせいで料理の味を悪く感じるし、ゆったりくつろげないからだ。会話しても、大声で喋るしかなさそうだ。
そうした店では、顧客の満足度は限りなくゼロに近い。原因は音。それを認識するオーナーやスタッフは、思いのほか少ない。

これでは、もったいない。

音の改善法は簡単だ。まずは空間に耳を傾ける。店で何が問題なのかが、次第に聞こえてくる。不快音はなくせばいい。難しければ、空間に合った音楽をオーダーメイドで作曲すればいい。
最初にBGMの話をしたが、既存の音源を流しても、場所に調和するとは限らない。それぞれの空間には固有のBGNがあり、固有の使い道がある。オーナーや利用者に、特有の想いもあるからだ。

いま、この本を手にしているのは、空間や音楽について新たな発想を必要としている人かもしれない。あるいは、すでに現場の空間デザインを実践していて、音の改善を切実に求めている人かもしれない。

音楽を手がける人には、新たな作曲法を獲得するきっかけとして。

空間をデザインする人には、音によって空間を新たに創造するチャンスとして。
カフェや雑貨店などの商業空間を担う人には、音から場を好転させるヒントとして。

音は、目に見えない抽象的な現象。扱い方が難しい。本書では、音を捕まえ、作曲するための〝生きた事例〟を伝えたい。人の心を整える音の響きを生み出すために。

本書では、これまでぼくが経験した音の創作活動を軸に、身近な空間の音を改善するためのノウハウを、ドキュメンタリータッチで紹介する。

Ⅰでは、準備段階として、「音の聞き方（音育《おといく》）」→「音のフィールドワーク（音学《おとがく》）」→「音のデザイン（音創《おとつくり》）」の流れを、コンパクトにまとめている。
Ⅱでは、一二の実践例を、クライアント（施主）からの手紙を含め、双方向のカタチで紹介する。
Ⅲでは、読者が音のデザインを実践するための手順と、現場の音データを書き込める「ツールキット」を紹介する。

空間の音を改良し、人びとがよろこぶ姿を、ともに分かち合いたい。

目次

II 音が変わると空間も変わる――音デザインの現場から……15

III　音のデザインツールキット　183

音のデザイン、
思考と技法

まずは、急がないこと

音のデザインを実践する上で最大の課題は、現場に音を加えることである。だが、ここに落とし穴がある。世の中にある音のデザインの多くは、現場にスグ音を入れるようとする。すると、空間に音（や音楽）を入れたためにうるささが増し、逆効果になる。一足飛びに、質の高い音のデザインは実現しない。

その過ちを犯さないために、三つのステップを紹介しよう。「音育（音の教育）」→「音学（音の学問）」→「音創（音のデザイン）」の流れだ。

各段階を飛ばさずに進めていくと、満足ゆく音のデザインに近づいていく。さらに質を上げるには、完成した音のデザインの現場を観察し、もう一度音育に立ち返ってみる。

三つのステップを螺旋階段状に連続させることで、空間の質が高まるのである。

第一段階　音育（音の教育）――音を感じるよろこび

音のデザイン力を上げるには、専門性の高い技術を身につける前に、音を聞いて感動する力を身につけるのが先決だ。この力は、音育（音の教育）で養われる。

レイチェル・カーソンが提唱した「センス・オブ・ワンダー」という言葉がある。不思議なものに驚く感性を意味する。これが、音を扱う上でマストな感覚である。音に気づくだけでは、ダメなのだ。生まれたての赤ん坊は、はじめて出会う音の響きに驚く。外からの感覚を感じて心がドキドキ動く（感情が変化する）ことを、ぼくは「心動（しんどう）」と名づけている。

心動こそが、音活動の原点であり、活動を持続させるためのエネルギーになる。この音感覚を身につける技法が、音育である。

耳は鍛えられる

世の中には、「書き方」という文章の記し方を上達させる技法がある。だが、「音の聞き方」という学習カリキュラムは存在しない。音を聞くといえば、音楽や人の言葉など、目立って聞こえる音の意味に注意を傾けることが一般的だ。音楽教育しかり、語学教育しかり、である。

音のデザインで重要なポイントは、注意を向けづらい「背景音」に焦点を向けること。これらの音を意識して聞く技法の重要性は、実のところ一握りの人にしか知られていない。

ぼくは、音の聞こえを鍛える音育メニューを開発している。例えば、音が消える瞬間。仏壇の鑿（りん）やピアノなど、持続する音に耳を傾ける。音が消える瞬間にまで聴覚の注意を向け、消えたと感じるところまで音を聞き続ける、というやり方である。

簡単なメニューであるが、音が消える瞬間に注意すると、今までスルーされがちだった背景音が（一瞬ではあるが）鮮明に聞こえてくる。他にもいくつかのメニューを行うと、「前景音」と「背景音」がバランスよく聞き分けられるようになる。こうした音育メニューを一般化するために、ぼくは、「耳の体操」や「耳トレ！」といった名称で、音の教育の普及を進めている。

ふだんの音の聞き方には、音に向ける注意力に「ゆがみ」が生じている。その状態をできるだけニュートラルな状態に整えること。それが、音育の役割である。耳の準備体操があってこそ、「音学」や「音創」のクオリティが高まるのだ。

音の心理学

音の世界は扱いづらい。そのカギを握るのが「前意識」と「背景音」である。「前意識」は「意識」と対概念で、「背景音」は「前景音」と対概念で捉えると、分かりやすい。ふだんぼくたちがよく耳にするのは、声や音楽といった目立って聞こえる前景音である。前景音は「意識」の領域で、あまり目立たない背景音は「前意識」の領域で、脳内処理される（図1）。ぼくたちは、これら二つの領域をひとまとまりにして、音を自律的（＝ほぼ無自覚）に選別している。音への注意が、気がつけ

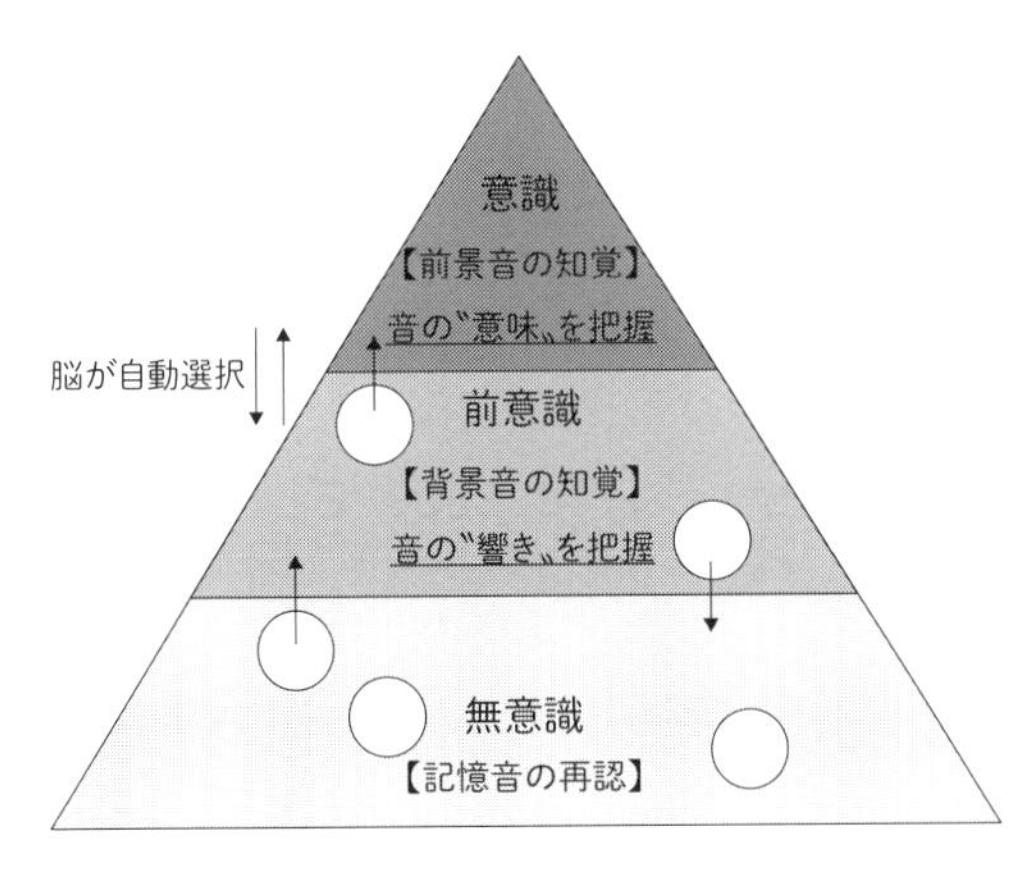

図1　音の意識と知覚過程
（下條信輔『意識とは何だろうか』196頁の図をもとに小松正史作図）

ば、いつのまにか向けられているような状態なのだ。

どうして音の処理は、自律的なのか。それは、耳には瞼のような感覚遮断器官がないからだ。耳に入った音は聴覚神経を経由して、脳内の聴覚野で一旦受け止められる。いわゆる情報過多の状態。すべての音に反応すると、過剰な負担が脳にかかり、正常に生活できなくなる。だから、音をほどよく間引くために、脳が音の知覚をあえてスルーさせている。脳の防衛反応、といってもいいだろう。

ただ、問題なのは、スルーされた背景音にこそ、空間を好転させるカギが潜んでいることだ。つまり、前意識で処理される背景音の存在に着目すれば、多くの音の問題に気づけるのだ。言葉にならないけれども、音に違和感があるときは、背景音に原因がある場合が多い。

先ほど述べたように、前景音は意識の部分で処理され、特定の意味を伝えてくれる。注意もされやすい。一方で、気づきにくい背景音は、前意識の部分で処理され、文字通りスルーされる。ところが背景音には、響きや雰囲気といった、人の感情をゆさぶる感性情報が含まれている。効果的な背景音は、人の感情をしかるべき状態にさせる。それを意図的に創出していけば、空間の質が好転するだろう。

まず、前景音と背景音の両方をバランスよく感じ取り、それぞれの役割に気づくことが、音のデザインの基本となる。

第二段階　音学（音の学問）――音のフィールドワーク

音のデザインを行うには、現場の観察――音のフィールドワーク（音の現場観察）――が欠かせない。やっかいなことに、音は目に見えない。音学とは、不可視な音の情報を、目に見える記録に変換する技法である。

音の可視化には、確立された技法が存在しない。いくつかの記録方法を併用し、完成度を高めていく。心配することはない。簡単な手法を組み合わせる。紙と筆記用具があれば、大丈夫。

まずは、対象空間で聞こえてくる音に名前をつける。「車の音」「換気扇」「子どもの声」など、自分が言い表せる言葉なら何でもいい。名前をつけられなかったら、「シーン」「ドスンッ」などの、擬音語・擬態語でもかまわない。それを一〇分程度行う。

次に、聞こえた音をもとに、音の地図（サウンドマップ）を作成する。前から来る音、後ろにある音、左や右など、音には位置情報がある。それを「絵」にして紙に記入する。自分のいる位置を紙に記せば、自由に描いてかまわない。これらの記録情報は、現場の音の状態を説明するときや、自分で音源をつくるときに、大いに役立つ。

余裕があれば、録音機やカメラなどの記録機器を使ってもいいだろう。空間にある音を録音する。音源をカメラで撮影したり、音源の動きを動画で収録する。音は目に見えないが、視覚的に記録すると、あとの作業で役に立つ。専門機器がなければ、スマホのアプリでも十分である。

忘れてならないのは、クライアント（施主）や利用者の真意。音を整えるには、空間に携わる人びとの意識や要望を、ヒアリングやアンケートなどで明らかにする必要がある。

音をハカる

音は目に見えない。けれども、数値で計測することが可能である。ハカるからこそ気づきが生まれ、意味が与えられる。発見が難しい音の本質を、客観的な数値で見抜くことが可能になる。主観になりがちな音の情報をハカることで、説得力あるデータに変換できる。

まずは、「デシベル」。音量と言い換えてもいい。同じ音の種類でも、音量の大小で印象が大きく変わる。少しの音量変化が、空間の質を好転させる。

続いては、「周波数」。音の高さと低さのこと。自然音は周波数の範囲が広く、機械音は狭い。人の声でいえば、男性よりも女性の方が声の周波数が高い傾向にある。場所特有の周波数特性もある。こうした音の物理特性を知るには、騒音計や周波数測定機器が必要だが、スマホでも代用できる。

さらに、「言葉の物差し」という心理的尺度がある。音の物理特性と人の心理を橋渡しする手法で、代表的なものに「音の印象評定」がある。音の感覚を数値に変える方法である。「明るい - 暗い」「快い - 不快」など、反対の意味をなす表現語の対を使って、五あるいは七段階の尺度で、音の印象を直感的に判断するやり方である（ＳＤ法と呼ばれる）。

音の名前や音の地図といった「質的な音の情報」と、音量や周波数といった「量的な音の情報」を組み合わせながら、対象空間の音の実態を可視化していく。数値や図にすれば比較できるし、予測もしやすい。

自分に使いやすい技法が、一つでもあればいい。空間にある音の魅力をハカってみよう。

第三段階　音創（音のデザイン）――現場に見合う音をつくる

音のデザインを要約すれば、「心のデザイン」である。音は目に見えないが、心に直接作用する。

空間の音に手を加えることは、その場所にいる人びとの脳を、間接的に触るようなもの。デリケートな行為であり、未知なる可能性を秘めている。

だからこそ、音を創る手前の準備（「音育」と「音学」）を入念にする必要があるのだ。音のデザインは、たった一つのスピーカでできてしまうほど、安直である。だが、それに至るまでのプロセスが質を決める。安易に行われている現状の音のデザインと一線を画する音づくりを、ぜひ目指してほしい。

重要なこと。音のデザインは、音の感覚に限ってはダメである。音は音以外の感覚の影響を受けるからだ。専門的には、クロスモーダル知覚と呼ばれる。視聴覚の相互作用（聴覚と視覚がそれぞれの印象形成に影響を及ぼし合っている現象）が典型的である。音以外の感覚要素にも配慮すれば、音の印象が底上げされる。

音のデザイン、三つの極意

音のデザインの三つの手順を、優先順位の高いものから追って説明する。

まずは、「音を減らす＝マイナスの音デザイン」。不快な音を出す音源を遠ざけたり、目立たなくする段階である。例えば、音を出す機械やダクト機器などの再配置がある。正直なところ、多くの不快な音源は移動が難しい。特に、交通騒音。一人の力では解決に及ばない。社会にコミットメントすることが必要だが、そこまで首を突っ込むことは現実的に難しい。解決策は後に述べることにする。

続いては、「響きの調整＝ハコの音デザイン」。おもに空間の内装に着目し、響き方をコントロールする段階である。天井、床、壁の材質を変え、空間の用途に見合った響きを生み出すのである。会話を聞こえやすくしたい空間なら、吸音材を多用して、響きは控えめに。音楽など残響を効果的に出したい空間なら、響きやすい材料選びを心がける。カーペットやカーテンなど、インテリアを使って廉価に響きを抑える技法もある。

最後は、「音を増やす＝プラスの音デザイン」。もともとの空間に、新たな音を導入する段階である。先述したとおり、多くの音のデザインは、いきなり音源を導入する残念な事例が多い。プラスのデザインはマストではない。しかるべき理由があってはじめて、実行に移すべきである。水路をつくったり植栽を導入する例（起源としての音を入れるパターン）や、音響機器を使って音を再生する例（メディアの音を入れるパターン）がある（表1）。

さらにプラスのデザインには、二つの方向性がある。一つは、ネガティブな音の印象をゼロにする手立て（マイナス→ゼロ）。先述した交通騒音は移動が困難なので、不快感を減らすために別の音を導入する事例がある（心理的マスキング作用）。もう一つは、良くも悪くもないゼロの音の印象をポジティブにする手立て（ゼロ→プラス）。別名、音や音楽による空間演出といってもよいだろう。だが、演出音は劇薬だ。空間の印象を悪化させてしまう例が後を絶たないからだ。典型例としては、大型ショッピングモールのBGMがある。複数の店舗から漏れ聞こえるBGMが通路で混ざり合い、最悪の響きを生み出してしまっている。

対象となる空間が目指す本質は何かを見極め(聞き分け)、最小限の音の手立てで空間の質を改善することが理想である。

環境音楽を作曲する

最初に強調したいのは、環境音楽は、BGM(背景音楽)とは違うことだ。ひょっとすると、両者を区別することは難しいかもしれない。大切なことは、既存の音楽を効率的に使うのがBGMで、対象空間に見合った音源をオーダーメイドで新たに制作するのが環境音楽である。両者ともに共通するのは、空間の背景として、壁紙のように音源を再生する態度。すなわち、人の前意識に向けて提供する音楽である。音楽のジャンルではなく、音楽の聞かれ方(知覚のされ方)に配慮した音楽聴取の態度といえよう。

表1　プラスの音デザインの種類と方向性

方向性	種類		説明	事例
非言語的(響き重視)前意識的	素材音		素材から出る生音(起源としての音)	人工水路、噴水、植栽の葉擦れ音
↕	音楽		空間の背景として音響機器から流れる音や音楽	環境音楽(オーダーメイド)、BGM(既存音源)
	情報音	記号音	言語ではない音や音楽を使って、何かの意味を伝える音サイン	駅メロディ、音響信号、警告音、スティックサウンド
言語的(記号重視)意識的		音声	声によって意味を伝える音サイン	自動案内放送、駅員のアナウンス

環境音楽の別名は、アンビエント・ミュージックであり、音楽家のブライアン・イーノが一九七〇年代の後半に提唱した。「空港のための音楽（Music for Airports）」が有名である。

本書のⅡ以降で紹介するのは、ぼくが制作した環境音楽の事例である。対象空間はそれぞれに特徴があり、空間に携わる人びとの個性も多様である。それぞれの対象にふさわしい環境音楽のあり方を明らかにするために、現場で音のフィールドワークを行うことが、空間にマッチしやすい環境音楽を生み出す秘訣である。

環境音楽制作、六つの極意

環境音楽制作の本質を説明しよう。Jポップや歌謡曲、有名なクラシックといった意識に訴えかける音楽とは「真逆」の表現を手がけることだ。つまり、前意識に溶け込ませる引き算の「音づくり」である。音楽を操る要素は、六つ。

一つ目は、「リズム」。人の生理に直接影響を与える重要度の高い要素である。活性度を高めるためには速めに、ゆったりするためには遅めに設定する。落ち着きのある曲をつくるときは、八〇〜九〇のBPM（一分間に含まれる拍数）を使うことが多い。

二つ目は、「メロディ」。音の水平構造ともいわれる。記号（言語）的な特徴を持ち、聞き手の意識に訴えかける。記憶に連動する。使いすぎると耳障りなので、絶妙なバランス感覚が求められる。ぼくは、「何気なく心に浮かんだ」メロディが、前意識的に聞かれやすいことを、経験的に掴み取ってきた。意図を出しすぎない作曲手法を、それぞれのクリエイターには獲得してほしい。逆のアプローチになるが、サウンドブランディング（音による価値づけ）を行う場合は、効果的なメロディ創出が欠かせない。

三つ目は、「ハーモニー（和音）」。音の垂直構造ともいわれる。非記号（非言語）的な特徴を持ち、聞き手の前意識に訴えかける。コロコロと変わるハーモニーを使えば、意識に上りやすくなる。ぼくが環境音楽をつくるときは、意識に溶け込むように、繰り返しの循環コードを効果的に使っている。

四つ目は、「音色」。周波数にも連動する話であるが、環境音楽の制作には、耳障りにならない楽器を選ぶことが重要である。ぼくは、よくピアノの音色を使う。たかがピアノといっても、音色の種類や音の処理は千差万別。対象空間にマッチするための音色選びには、対象空間の音に耳をそばだてることが最適だ。つまり、音育で習得した「音の聞き方」が、音色選びに生かされるのだ。

五つ目は、「音量」。音の知覚を変える重大要素である。同じ音源でも、音量の違いによって、聞こえる印象が大きく変わる。適意レベルという言葉がある。音楽を聞くときに、最適と感じる音量のことである。男性と女性では適意レベルが違うことが、過去の研究から示されている。音量は、空間の印象に大きな影響を与える。音量に限らないが、人は、何かの要素が「変化」したときに、音の存在を強く意識する。日本庭園にある鹿威しがその典型だ（京都・詩仙堂の庭園が有名）。庭で静寂を感じるのは、一定間隔で鳴らされる竹筒が石を打つ音が意識に入るからである。音量が急に変化する環境音楽はふさわしくない。音量変化が所々でありつつも、急激に音量を変えないことが大切である。

六つ目は、「関係性」。音楽を専門とする人でさえ、意外に意識しない要素である。環境音楽をとりまく外的要素（空間・時間・人・地域・時代）と、いまつくろうとしている環境音楽が、どのような関係性にあるのか。音楽の存在を現実の世界と照らし合わせて、音源のあり方を大きな文脈の中で認識する。互いの要素を生かし合う音づくりに配慮する。

この感覚を獲得するには、現場に何度も足を運び、そこに集う人と会話し、自分の感覚を信じて作曲する。音源ができあがれば、現場空間で実際に鳴らし、浮かび上がった問題点をあぶり出す。地道な試行錯誤（トライアル・アンド・エラー）が、環境音楽に品格を与え、空間の質を高めるのである。

これらの要素を意識し、対象空間にふさわしい環境音楽が創作されることを願っている。

音が変わると空間も変わる

音デザインの現場から

音デザインの現場から——1

展望風景を演出する

京都タワー［2007年／2019年］

耳をふさぎたくなる展望空間

「音ひとつで、展望室がこんなに変わるなんて」

二〇〇七年三月。開業以来四〇年ぶりに改装（リニューアル）された京都タワー展望室内に入り、思わず口にした。

三方を美しい稜線の山々で囲まれた京都盆地。それを一望できる展望室は、地上から一〇〇メートルの高さにある。風景を眺めるには、ちょうどよい高さ。下界に目を凝らすと、絶妙な距離感で寺院やビルがくっきり見える。碁盤の目を歩く人の姿も手に取るようだ。背景には、隠し味のようにほのかに漂う音——オーダーメイドの環境音楽——が再生されている。風景の見え方が穏やかだ。落ち着いた印象の空間に生まれ変わっていた。

改装前の展望室は、音で溢れ返っていた。スピーカからは京の通り名のわらべ唄がエンドレスで流れ、アーケードゲーム機からは怪獣の叫び声が鳴り響いていた。来場者は、大声で会話するしかなかった。ドーナツ形の展望空間は、人工的な再生音と人の声で埋め尽くされていた。

音が空間をだいなしにする

ぼくたちは目だけでなく、耳や皮膚といった身体全体でも風景を感じている。たったひとつの音の存在が、風景全体の印象に大きく作用する。聴覚が視覚（または視覚が聴覚）に影響を及ぼす現象を、「視聴覚の相互作用」という。かつての京都タワー展望室は、来場者の耳に入る喧騒（＝聴覚刺激）が、展望風景（＝視覚刺激）にマイナスの印象を与え、空間をだいなしにしていた。

一九六四年末に営業を始めた京都タワーは、鉄骨を一切使わず、円筒形の銅板をつなぎ合わせるモノコック構造を世界に先がけて採用。白くなめらかなフォルムは、今や京都のランドマークとなっている。ところが展望室は、音を反射しやすい材質であるガラスやビニールタイルの床材が使われ、喧騒が耳に残る形状をしていた。

ぼくは、かねてから京都タワーの大ファンである。気持ちをリセットしたいとき、人生のターニングポイントにさしかかったとき、展望風景をぼうっと眺めに行く。

耳障りなのが、室内の喧騒。展望風景は美しいのに、音がよくない。音の改良ができないものかと、自著の『京の音』（淡交社刊）や、顔なじみのスタッフを通して伝えていた。ある日、思わぬ幸運が舞い込んできた。

音デザインの三本柱

京都タワー株式会社事業部（当時）が、二〇〇七年春を目指した展望室の改装（リノベーション）に「音環境デザイン」の導入を予定しており、その指揮をぼくに依頼したいという。音環境デザインを現場で指揮するのは、ぼくにとってはじめての試みだ。

既存の展望室空間をゼロから考え直したい。空間の質を高めるには、表面的に音を加えても根本解決にはならない。

ぼくが提案する音環境デザインの三本柱。まずは「静けさを確保すること（マイナスの音デザイン）」。不快な音を減らし、本来の静けさを取り戻す。アーケードゲーム機を撤去し、わらべ唄が流れる簡易小型スピーカを取り外す。続いて「響きを抑えること（ハコの音デザイン）」。ビニールのタイル床材を吸音性の高いタイルカーペットに貼り替え、足音や音の反射を極力抑える。最後に「音による演出を加えること（プラスの音デザイン）」。目で見る風景を引き立たせる隠し味として、背景音楽を新たに創作する。

苦悩する日々

改装計画のミーティングには、施主の京都タワー事業部（当時）をはじめ、施工者、音環境を設計するぼくの三者が集った。音環境デザインは、ハコモノである建物が完成した後、施工が始まることが多い。あとづけの段階でしか音の配慮がなされず、残念な事例を多く耳にしてきた。幸運にもこのプロジェクトは、設計の初期段階から三者が膝を突き合わせて議論できることになった。

開口一番、驚くべき話が出た。展望室の現状は極力変えられない、と。タワー自体がモノコック構造であるため、変更・改変は避けなければならない。ゲーム機や小型スピーカの撤去は問題ないにせよ、七〇デシベル近い駆動音を出すエアコンは取り外せない。新たに取り付けるスピーカの設置も天井部分に限られる。ゼロから建物を構築する設計であればクリアできる案件が、リノベーションではうまくいかない。良案はないものかと、展望室から風景を眺める日が続いた。

タワーで時折見かける男性がいる。画家の吉川博人（きっかわひろと）氏だ。画材道具を手に、タワーの絵を描く。「タワーの見える風景」をテーマに画家活動を続けている。描かれた京都市内の日常風景の中には必ず、タワーの姿が潜んでいる。彼にとって「心の灯火」のような存在なのだ。タワーは単なる建築物ではなく、訪れる人にとって心の拠り所にもなりうる。

あ、そうか。見た目や現状を変えることが難しいからこそ、音を純粋に表現すべきだ。音のチカラを使えばいい。細々とした音の問題をクリアする音楽ができれば、展望室の印象はきっと変わる。

視覚と聴覚の現場調査

京都タワーにふさわしい音源の構想に取りかかった。逆説的だが、音楽がほんとうに必要なのか自問した。展望風景の美しさを邪魔しない音楽があれば最高だ。やわらかな音色の楽器を使い、ほんのり漂う響きを生み出したい。室内の喧騒をやわらげ、機械音を気にならなくさせる音楽。マスキングの手法である。

まずは、展望室内の音量を計測してみた。七〇デシベルが平均的な音量で、想像以上に大きい。音の種類を確かめると、スピーカなどから再生されるメディア機器音、エアコンなどの機械器具音が占めていた。周波数は二〇〇～六〇〇〇ヘルツ付近の成分を多く含み、五〇〇ヘルツにピークがあった。エアコンの駆動音やメディア機器からの音が耳の奥に残る。来場者の多くは、景色を確認すると足早に去っていく。滞在時間を長くし、展望風景をゆったり楽しむという本来の目的からは、ほど遠い状況だった。

視覚的な風景の観察も試みた。時々刻々で印象が変わり、天候や時間帯だけでなく、来場者の存在も空間を大きく変動させる。朝・昼・夜の風景に調和した曲づくりを考えた。結局、四〇曲あまりが完成した。できあがった音源をそのまま現場に流すわけにはいかない。音源（聴覚刺激）と展望室内で撮影した動画（視覚刺激）を使って、音源導入前の印象評定実験を試みた。

統計的に証明された音のチカラ

実験結果は、展望風景の映像に音楽が付加されると、全体的に落ち着きが増す方向に変化した。映像よりも音楽の方が、風景全体の印象を強く色づける。音楽が風景に与える影響は、思いのほか強かった。晴れの風景には明るめの曲が、曇りの風景には暗めの曲が、雨と夜の風景にはやわらかめの曲が調和しやすいこともわかった。

音色については、豪華な楽器編成よりも、ピアノ単体の音色の方が風景に調和しやすいことが明らかになった。最終的には、ピアノの環境音楽を二〇種類に絞った。音源は天井に等間隔で埋め込まれた一二センチのコーンスピーカ四基で再生することになった。

最初のプロジェクトということもあって、展望室を訪れる来場者に視覚と聴覚の印象評定を現場でしてもらった。協力を仰ぐには、施主との良好な関係が欠かせない。

このプロジェクトには、ぼくと二人三脚でタッグを組むスタッフがいる。事業部（当時）の川上博史（かわかみひろし）氏だ。タワー側とぼくの要望を調整してくれる凄腕マネージャー。このプロジェクトは共同研究という位置づけなので、調査希望をほぼすべて実現に導いてくれる。来場者に風景の印象を尋ねる調査についても、改装前後の二回にわたり、質問票を配ってくれた。改装前は五七人、改装後は六四人の来場者から協力を得た。

風景の印象評定では、改装前にみられた喧騒感が改装後には緩和され、快適さに関わる印象がアップした。「快い - 不快な」「静かな - うるさい」「洗練された - 洗練されていない」といった項目に、統計的に差があることが確かめられた。昼間の来場者が多い時間帯には、音の印象が大きく好転した。空間の視覚的要素の改良（ゲーム機の撤去や床材の変化）によって、展望室内だけでなく外の風景の印象もよくなることがわかった。

もともと評価の高かった展望風景の印象はさらに上がり、喧騒感の強かった室内環境音のマイナス印象も好転した。

物理的・心理的な快音化に成功

展望室内の音が、物理的にどう変化したのか計測した。計測時期は二〇〇六年八月（改装前）と二〇〇七年六月（改装後）。改装前の音量の平均は、北側が六九デシベル、南側が七一デシベル。改装後は、北側が六四デシベル、南側が六二デシベルであった。改装前に比べ、北側では五デシベル、南側では九デシベルも低減し、心理量でいえば一〜二ランク喧噪感が低減したことになる（静かになったことが明らかに実感できる状況）。

小松ゼミ生（二〇〇七年度当時の三三人）にも感想を聞いた。実際に展望室を散策した後、音環境で感じたことを文章にしてもらった。ポジティブな意見は「環境音楽が風景と調和する」「非日常の空間に来た感覚がする」「主張しない音楽のはたらきを実感した」「TPOによる音楽の提供が望ましい」「ピアノの音色はさわやかで気持ちよい」「ほどよい音量で音楽が再生されている」との回答があった。ネガティブな意見は「音楽が頭の中に入ってきて落ち着かない」「エアコンや他人のしゃべり声が気になる」「音楽の音質をもっとクリアに」との回答があった。

音や音楽に強い意識のある人にとって、プラスの音デザインは印象が分かれる。公共空間に音の刺激を導入することは、利用者それぞれに音の好みがある以上、正解はない。そのつど、最適解を試行錯誤で決定するしかない。一番いけないのが、手近な音源を安直に使うこと。場に思いを馳せ、目配り（耳配り）を続ける意識が、空間のクオリティを決定する。

一二年以上続くタワーとの縁

ビギナーズラックという言葉がある。このプロジェクトの成果を見る限り、概ね成功したといっていいかもしれない。音環境デザインを実際の公共空間で行い、学術的な調査を含めたプロジェクトとしては史上初の取り組みだったので、多くのメディアに取り上げてもらった。だが、油断は禁物だ。音環境デザインで本腰を入れるべきは、施工後の維持管理である。庭園でいえば、植栽の剪定作業がこれに当たる。

ぼくと京都タワーとの良好な関係は現在でも続いている。毎年七夕の時期になると展望室でピアノライブを実施している。今年(二〇一九年)で、のべ一三回になる。二〇一三年にはエレベータ内で放映するムービー用BGMの制作を依頼された。施工後も定期的に現場を訪れ、気づいたことはスタッフに伝えている。京都タワーで働くスタッフとの信頼関係も、活動のエネルギー源となっている。二〇一九年の正月、天から降って湧いたかのように、タワー展望室のために新たな音源をつくりたくなった。すぐにピアノに向かい、おもむろに録音を始めた。意識したことは二つ。一つは、無意識に染みわたる即興演奏を長い尺(時間感覚)で行うこと。もう一つは、背景に溶け込みやすいように、繰り返しのある循環構造を入れること。

音楽の表現に最終完成形はないけれど、そのつど感じたことを素直にアウトプットし、現場で試行錯誤するのが最善である。九つの楽曲は一週間程度で一気に完成した。

音環境デザインの旅の最初は、京都タワー。音活動の原点に立ち返りたいときには、今でも展望室を訪れる。

詳細情報 ・ # 京都タワー展望室
【音によるリノベーション】

所在地	京都市下京区烏丸通七条下ル東塩小路町
工期	2006年9月～2007年3月
竣工	2007年3月（2019年7月に新音源を導入）
音源アルバム	『キョウトアンビエンス』『キョウトアンビエンス 4』
楽曲コンセプト	・展望風景を引き立たせる、隠し味のような楽曲 ・「視聴覚相互作用」を引き起こす楽曲
楽曲の特徴	・ピアノソロの楽器編成 ・音と音の間をゆったり取り、歩くような速さ ・不協和音を加え、京都らしい重層感を表現 ・懐かしさを醸し出す、和の旋律（ペンタトニック）を採用 ・音高の極端な移行を避けた、なめらかな音符の進行 ・即興的な演奏を行い、風通しのよい新鮮な音の流れを希求 ・繰り返しのある循環構造の楽曲

楽曲

「キョウトアンビエンス」（2007年）
https://youtu.be/XN-mvIN70z0
—

「雅（みやび）」（2019年）
https://youtu.be/M_Fgkqm_LVg
—

Feedback

音楽で生まれ変わった京都タワー

京都タワー事業部（当時）川上博史さん

展望室に環境音楽が導入されて、一二年経つのですね。ホテル部門から事業部に異動してきてまもない頃でした。別世界の仕事内容で、面白かったです。その頃、展望室を先入観なく観察しました。まるでゲームセンターのような光景でした。景色を見ず、壁に並んだゲームをするだけの方もいらっしゃいました。

当時（二〇〇六年）の来塔者は、右肩下がりの傾向でした。これ以上減らさないためにはどうすればいいのかと、悩む時期でもありました。

そんな矢先、展望室の改装計画が持ち上がりました。視察に行った東京タワーでは、すでにＬＥＤの照明や専用の環境音楽などが導入されており、参考になりました。

しかし、私どもができるのは、施工業者が提案するスピーカの数や設置位置を確認する程度です。環境音楽の制作は、想像できませんでした。そんなときに小松先生の書籍『京の音』の中で、展望室の音の改善を提案されているのを見て、お願いすることにしたのです。

一緒に展望室に昇り、山やビルなどの風景を眺めました。「時間や季節で変わる風景に合わせた音楽をつくりたいですね」という小松先生の言葉が頭に残っています。そんなことまで意識されて作曲されているのだと、感激しましたね。

改装後、環境音楽とともに風景を感じてみました。同じ曲が流れていても、見る方向や景色に応じて、感じ方が変わってきます。まさに、どの景色にも合う音楽でした。何とも不思議です。

地元のお客さんが増えました。「子育てしていたときはタワーに昇ったことはなかったけれど、息子が孫を連れて帰ったので、展望室に孫とやってきた」というお客さんの姿も見ます。展望室が大切な場所に変わってきたことがうれしいです。

来塔者はもとの人数に回復し、より多くの方々に親しんでもらえるようになりました。タワーがつくられてずいぶんと経ちますが、やっと皆さんに受け入れられた実感があります。

当時、改装工事の他にも、さまざまなプロジェクトがありました。今思えば、大きな変換期でした。小松先生と、まるで「遊ぶ」ような感覚でアイデアを出し合い、楽しく音の仕事ができたことをうれしく思っています。

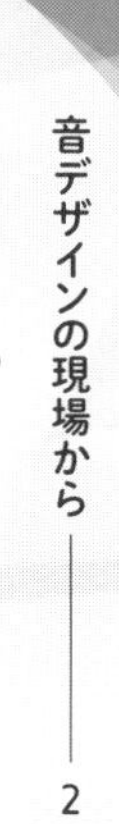

音デザインの現場から——2

学校の記憶を蘇らせる

京都国際マンガミュージアム
［2007年／2016年］

（京都国際マンガミュージアム写真提供）

自由にマンガを楽しめる空間

小学校を改修したモダンレトロな建物の中。皆が一心不乱にマンガの世界に浸っている。二〇〇六年に開館した京都国際マンガミュージアム。来館者の読書するスタイルはさまざま。階段に座る人、廊下に立つ人、外の芝生で寝転がる人。好きな場所で好きなマンガを存分に味わえる。マンガファンにとっては、まさに聖地。館内にはマンガ資料が約三万点もある。大半の資料は好きな場所に持ち出すことができる。

マンガミュージアムといえば漫画喫茶を連想するが、そうではない。カフェで休憩したり、常設展や特別展をゆっくり楽しむこともできる。国際的に活躍するマンガ研究者や、一般の人が使える研究室もある。さまざまな用途にひらかれた施設。それがマンガミュージアムだ。

違和感ある既存BGM

当館で音環境デザインを開始したのは、開館まもない二〇〇六年の師走。はじめてこの空間に足を踏み入れたとき、懐かしさとあたたかさを感じた。木の匂いもほのかに漂う。お気に入りのマンガを探しに足を進めると、突然BGMが気になった。ブラスセッションでメロディが強めの楽曲に違和感を覚えた。

お目当てのマンガを読み始めても、トランペットの音色が鋭く耳に入り、読書に集中できない。マンガの紙面と音が合わないのだ。耳はつねに開いているので、自分の意思では調整できない。

「何とかならないものか」

そんな引っかかりが、当館専用の環境音楽をつくることになった動機である。

館内の内装には木の素材が多く使われている。照明が暖色系であるため、館全体が茶色の色合いをしている。館内で目を引くのは「マンガの壁」。膨大な数のマンガ単行本が配架されている巨大な本棚で、来館者の好奇心を引き出すのに一役買っている。視覚的には申し分ないのに、残念なのが音環境。もっとマッチする音源があるはずだ。

じつはこの当館、ぼくの職場である京都精華大学が京都市と共同運営している施設である。スタッフも知り合いが多く、自分の要望を伝えやすい条件に恵まれていた。顔なじみのスタッフである当館事務局長（当時）の上田修三（うえだしゅうぞう）氏に胸の内を話してみた。

「今のBGMよりも合う音源がある気がして。急に音源をつくりたくなったのですが」

「いいよ。試作して、聞かせてくれない？」

といった具合に、試作音源を制作するチャンスをもらった。だが、通常の公共施設に新しい音源を導入することは、生やさしいことではない。規定条件の制約や運営の決定権など、二重三重にわたる交渉の壁があるからである。これまでに多くの公共施設を観察してきて、行動に出ることは難しかった。そんなときは、トライアル・アンド・エラーをするしかない。まさに、「飛び込み」の手法。ダメ元の精神で、チャンスがあれば行動に移してみる。自分の想いを口に出すこと。それが周囲を変化させる一歩となる。

使用用途にマッチした音づくり

当館は昭和初期に建造された元龍池小学校を改修（一部増築）し、約三年の準備期間を経て、二〇〇六年に開館した。利用者全体の一割以上を外国人が占める。

当館専用の環境音楽をつくるにあたり、来館者の利用目的を整理してみた。ざっくりいえば、「図書館型」と「博物館型」に分かれる。図書館型の利用者は、入り口から本棚に直行し、そのままマンガを読み続け、退館する。博物館型の利用者は、一ヶ所に留まることなく常設展や特別展を見て廻り、退館する。つまり来館者には、マンガを読みにくる層と、展示を見にくる層の二種類が存在するわけだ。

子育て世代の家族が児童館代わりに来館する姿もある（その多くが、校庭の人工芝の上で寝転がる）。一日数度、紙芝居の口演もある。パフォーマンス前には拍子木が館全体に響きわたり、場の雰囲気が盛り上がる。マンガ関連のワークショップや講演会も開催される。

特定の利用者に限った音源制作は、場に合わない。さまざまな状況で柔軟に聞かれる音源が求められる。何をするにも邪魔にならない、汎用性の高い楽曲をつくる必要がある。参考のために、小松ゼミ生たちに館内を利用してもらい、行動を観察してみた。感想も尋ねた。

音づくりのインスピレーション

「おっ、懐かしい!」

館内に入るやいなや、複数のゼミ生から声があがった。むかし通っていた小学校の雰囲気に似ているようだ。三階建ての当館は三つの建物で構成されている。各建物内にブースが複数あり、迷路のようだ。同じ場所で何度もさまよってしまう。ゼミ生たちはいくつかの集団に分かれ、自由に回遊しはじめた。

マンガの壁では数人のゼミ生が立ち止まり、熱心に話をしている。お気に入りのマンガ作品を見つけたようだ。それぞれの想いやエピソードを語り合っている。共同想起だ。個人で楽しむだけのマンガ作品だったのが、ともに分かち合うことでコミュニケーションが新たに生まれ出す。これぞマンガ文化の醍醐味。学校の記憶やマンガの懐かしさを語り合うゼミ生の姿を見て、ぼくの心は動きはじめた。

「そうだ、学校の記憶と懐かしさを呼び起こす音源をつくろう」

音のインスピレーションは急に降って湧いてくる。意識的につくろうと踏ん張っても、なかなか出てこない。現場にある素材をインプットし、現場の記憶を反芻しつつ寝かせる。すると、フッと発想の芋蔓が飛び出してくる。その蔓を引っ張り、アウトプットする。今回は、学校の記憶にアクセスしやすくする音源づくりを目指した。音をたよりに、過去の記憶が呼び起こされる効果を期待して。

館内にふさわしい音色

音源の方向性が決まると、楽曲の構造――リズム・メロディ・ハーモニー――が、形を帯びてくる。メロディは、校歌のようなシンプルで懐かしさを漂わせるものが浮かんできた。面倒なのが、音色の選定。ピアノの機種や響き方など、選択肢は無数にあり、絞り込みには経験とカンが必要だ。その土台となる作業が、現場のフィールドワークである。

館内を見渡すと、木材が多く使われている。一番耳に入るのが、木の床を歩く「足音」。あちこちで足音がまばらに発生し、館の賑わいを醸し出す。会話もちらほら聞こえる。これらの音は決して大きくないが、音量を測ると平均六〇デシベル程度ある。違和感はない。場の文脈に合う音だからだ。

ピアノは、ハンマーが弦に当たることで音が発生する。八八個の打楽器と考えるのがわかりやすい。小さい音量でも、芯のあるツブ立った音色が空間に響く。当館のような背景の環境音が大きな場所でも、ピアノの音色は埋もれずに耳に届く。館内は木造の質感が強いため、ピアノの音色がマッチしやすい。ピアノも木の素材を存分に使った楽器だからだ。同類の素材から出る音は共鳴し、調和しやすくなる。

音の導入が難しい公共空間

読書の邪魔をしない音源づくりも必要である。マンガを集中して読む人の邪魔にならない音づくりが大切。人は書くときよりも読むときの方が、音の影響を受けやすい。文字などの外部情報が視覚経由で知覚されるとき、聴覚から別の記号的情報（声や音楽など）が入力されると、脳内で混乱が生まれ、情報の選り分け作業に支障をきたすからだ。

図書館・美術館・博物館など、視覚情報を享受することを目的とした公共空間では、プラスの音デザイン（新たに音を加えて空間デザインすること）が極力抑えられている。試しにＢＧＭの再生を止めて館内を観察した。足音・話し声・空調の音が目立ち、無機質に聞こえてきた。楽しく軽やかな雰囲気とは言いがたい空間だ。

音環境デザインは、音楽を流すことを至上目的にはしていない。けれども、当館を音の側面から価値づける設計——サウンドブランディング——をするには、音楽が欠かせないことがわかった。音楽導入によって期待される効果は、場の空気に一体感を醸し出せること。そして、マンガを読む行為に入り込みやすくさせること。水や風のような、人の意識に極端な引っかかりのない音源をつくることを目指した。

場に馴染む環境音楽

完成したピアノ音源は一〇曲で、各五分間。元小学校舎のノスタルジー感を表現するために、校歌にも似た懐かしく控えめなメロディになった。ピアノの音色は粒がしっかりしたものを選び、館内のあたたかな雰囲気に調和するように、明るめの響きに仕上げた。一部の曲は、木材の肌理(きめ)（テクスチャー）と調和するように、旋律に繰り返しのアルペジオ（和音を構成する音を低いものから高いものへ、あるいはその逆に弾いたもの）を多用した。

完成音源をおそるおそる館内専用プレーヤーに入れ、試運転をはじめた。最初は館内を落ち着きなくドキドキしながら歩き回った。数ヶ月経つと館内の空気のような存在に変わっていった。音源そのものは同じだけれど、自分の意識が変わったのだろう。スタッフからも「鳴っていないと、なんだか落ち着かないね」との反応をもらった。場に馴染みつつあることが感じられた。

それから九年が経過した二〇一五年秋。上田氏から、こんな連絡が飛び込んできた。

経年変化に対応した新音源

「来年(二〇一六年)にマンガミュージアムが開館一〇周年を迎えるので、記念に新しい環境音楽をつくってもらえないか」

依頼されることをうれしく思った。当初のぼくの仕事を認めてくれたことが一番心に響いた。音環境デザインの自修プロジェクトを、一つの実績として認めてくれたのだ。

開館から一〇年近く経ったマンガミュージアムは、経年変化を重ねていた。当初は穏やかな館内の音環境だったのが、次第に利用者が増え、足音や話し声などの音量がアップしていた。ピーク時には七〇デシベル程度にもなり、当初よりも平均値が一〇デシベル近く増加していた。外国人の利用者の比率も高くなり、日本語以外の言葉が頻繁に聞こえる。床部分の木の素材の劣化が見られ、足音が幾分目立つようにも感じられた。来館者の利用形態は、博物館型(館内をまんべんなく回遊する行動パターン)が多く見られ、足早に館内を移動する姿が増していた。

音源の見直しをはかった。従来の目的に加え、音源にストーリー性を入れる。足音を目立たなくさせ、アップテンポ感を高める。一曲の再生時間を五分から三分に短縮し、起伏のあるメロディを導入した。環境音の音量増加に対応するために、やや鋭いピアノの音色を採用した。制作曲は二〇曲で、当初より一〇曲も多くした。楽曲を三分ごとに次々変えることで、回遊する来館者の行動に同調しやすくするためだ。

新作二〇曲の音源は、『スクール・メモリーズ――マンガミュージアムのためのピアノ音楽』と題したCDアルバムとして市販し、館内のショップで販売している。

オーダーメイドで環境音楽をつくる手法は、まだまだ知られていない。音源作品を一つのパッケージ（モノ）にすることで、メッセージ性を可視化させる必要があると感じた。コンセプトのPRを目的として、CD制作に踏み切った。

音は、空間をよくする最後の一振り

現場の雰囲気とマンガのストーリーにマッチするように、曲を並び変える作業は、心が震えるほど面白い表現行為である。すでに九九％仕上がっている現場の空間に、一％だけ足りない何かがある。それを補う役目が、音のデザインなのだ。

空気のような「見えない音／音楽」を使って現場空間を最終仕上げする作業が、環境音楽を作曲する醍醐味である。その実践をマンガミュージアムで二度も経験できたことに感謝したい。

詳細情報 ・ 京都国際マンガミュージアム
【音によるリノベーション】

所在地	京都市中京区烏丸通御池上ル（元龍池小学校）
制作	①2006年12月～2007年3月、②2015年10月～2016年3月
完成	①2007年3月、②2016年4月
音源アルバム	①『キョウトアンビエンス』、②『スクール・メモリーズ』
楽曲コンセプト	・学校の記憶を共同想起させやすい音源 ・幅広い用途に対応した汎用性の高い楽曲 ・読書に集中しやすい楽曲
楽曲の特徴	・ピアノソロの楽器編成（①②） ・校歌のようなシンプルで懐かしいメロディ（①②） ・芯のあるツブ立った音色（①②） ・館内のあたたかな雰囲気に調和するような、明るい響き（①②） ・館内の肌理に調和するように、アルペジオを多用（①②） ・来館者の回遊性に合わせて、起伏のあるメロディを導入（②） ・来館者の回遊性に合わせて、ストーリー性の高い楽曲を導入（②）

楽曲

「SINGING SAND」（2007年）
https://youtu.be/CUrjHyL89o8
—

「始業の合図」（2016年）
https://youtu.be/ER47wbVV1tc
—

Feedback

マンガミュージアムに溶け込むメロディ

京都国際マンガミュージアム事務局長（当時）上田修三さん

開館当時から毎日館内で流れている音楽は、空気の一部のようにからだに馴染んでいます。日本の唱歌のようなかわいさのあるメロディで、飽きません。空間の背景として溶け込んでいるのだと思います。

二〇〇六年に開館して、年間約三〇万人、のべ人数としては四〇〇万人近い来館者が、この曲に触れています。スタッフは毎日聞いていますが、全然飽きないですね。すべての曲を無意識に記憶しているのですが、とても安心感があります。

毎日流れている小松先生の曲は、自分が知っている好きなメロディーを何度でも聞ける、という喜びがあります。今まで同じ曲ばかり流れていて面白くない、という来場者からのクレームを聞いたことがありません。

開館当初はアニソンを流してもいいのではないか、という話もありましたが、ちょうどオリジナリティのある曲を探していた頃に、小松先生からのアプローチが偶然あり、当館では環境音楽を流すことになりました。

当館は、マンガ本を陳列するだけの図書館ではありません。マンガコンテンツを活用した、特別の見せ方に配慮しています。マンガ制作ワークショップもあり、紙芝居の口演は毎日やっています。その結果、双方向のやり取りが生まれ、館全体に面白みが生まれました。

来館者を案内するときに、「いま自然に流れている館内の音楽は、既存の曲を流しているのではなく、館の様子を見ながら、お客さんの動きや顔を見ながら作曲した、オリジナルの作品です」と説明する機会があり、いつも手応えを感じました。

開館一〇周年記念には、新曲をお願いしました。「スクール・メモリーズ」が出来上がったときは、非常にうれしかったですね。メロディがやさしく、控えめで京都らしさがある。当館に来ている人を観察しながらつくったからこそ、奥ゆかしく、マンガミュージアムにぴったり。これからの一〇年間も、「耐久性」があると思います。

小松先生が手がける音づくりを共有させてもらい、さらにはそれが聞こえる職場環境に居ることを、本当にうれしく感じています。

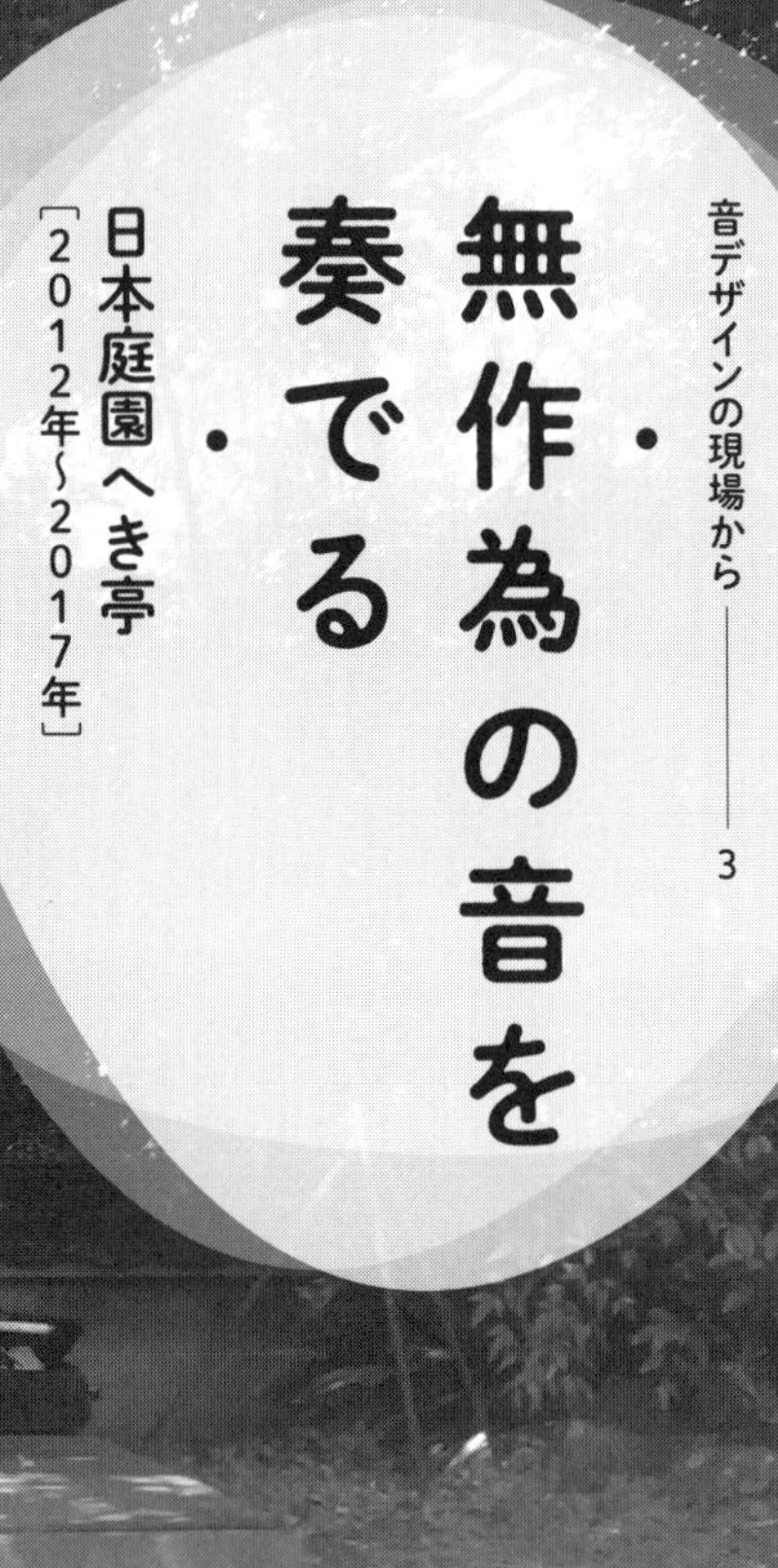

音デザインの現場から――3

無作為の音を奏でる

日本庭園へき亭［2012年〜2017年］

日本庭園へき亭

庭職人が奏でる音

京都府亀岡市。三〇〇年以上続く武家屋敷の庭で、ぼくはピアノを演奏している。背後の樹齢一五〇年近いイチョウの大木が、演奏を見守る。

「サワサワ、サーッ。ケキョッ、ッケキョ……」

風でたなびく新緑の葉擦れ音や、繁殖期真っ盛りの鳥の鳴き声が、四方八方から届いてくる。気の向くまま心の動くまま、即興演奏を空間に投げかける。ピアノの音に応えるように、鳥が声を発し、別の鳥も木の高い場所から高らかな鳴き声を響かせた。

「パチン、……パチン……」

高木に目をやると、庭職人がおもむろに植木鋏で木を剪定し始めた。熟練した手さばきによって生まれる鋏の音は、ときにリズミカル、ときにゆったりした間合い。庭一面に軽やかな音色を放つ。鋏は楽器ではないけれど、自然な響きだ。しかるべき場所とタイミングで生まれる心地よい音。

音を放つ職人は、庭詩の実政秀行（じつまさひでゆき）氏。庭師でなく「庭詩」というネーミングがポイントである。庭の新たな魅力を、詩的なアプローチで引き出す活動を重ねている。

庭の哲学者

「庭にいて楽しい、気持ちがおだやかになる。そんな庭をつくりたいんです」

日常の繰り返されるあたりまえの風景を、いかに愛おしく感じられるか。彼は、そんな感覚が自然に生まれる庭づくりを目標にしている。

毎年五月になると、この庭でピアノ演奏をするのが恒例となった。縁を運んでくれたのが、実政氏。彼の発想は面白い。庭をデザインするとき、通常、木や石などの物質に気を配るが、彼は違う。どうしたら今の暮らしが面白くなるか。一瞬で過ぎ去る風景を楽しめるか。庭の哲学者といってもいい。目に見えない人の精神面に踏み込み、面白い仕掛けづくりをする。既存のモノに、新しいコトやココロを加える活動だ。一緒に何かしたいと誘いを受けたのが、二〇一二年初頭だった。

彼のプロジェクトに心が惹かれていった。ぼくは庭フェチなのだ。大学時代は造園学を専攻。当時東京にいたが、京都の庭が好きすぎて何度も散策した。場所は一〇〇近くになる。大学のキャンパスでは、石庭の実習もした。今でこそ音のデザインを専門としているが、原点は庭づくり。目で見る風景と耳で聞く風景は、根底でつながっている。だから、彼の活動に共感した。彼が二〇年近く管理を続ける「へき亭」の日本庭園に連れていってもらった。

とっておきの野外舞台

この武家屋敷では、女将の日置道代(へきみちよ)氏が、旬野菜など地元の食材を生かした家庭料理を提供している。母屋は江戸時代に建てられた。屋敷を囲む石垣土塀を見ると、当時の姿がしのばれる。経年変化により風合が漂い、空間に過剰な作為を感じさせない。野外でのピアノ演奏には申し分ない場所だ。

ピアノを演奏する舞台は、芝庭。自然な原っぱを再現したような、やさしくて簡素な庭である。草をあえて高く刈ることで、山里のような風景が生まれる。歩くと、踏み心地がいい。庭は純粋な自然環境ではないけれど、実政氏の手によって、自然を身近に感じられる風景が実現している。

イベント本番はどんなことをしようか。ここでしかできない表現を自分のペースで実験するのが面白い。日置氏と実政氏を含めた三人で話すうちに、イベント名は「音あそび、庭あそび」となった。

これまでぼくは、特定の人工空間に対して、常設的に再生される録音源を提供してきた。これだけでは、表現の幅は広がらない。音表現を磨き上げるための自修イベントの機会にしたい。美術分野のインスタレーション（空間展示）に近いアプローチだ。

無作為に徹する

「演奏者がいて、お客さんがいるという構図は、何だか堅苦しいね」

実政さんが、言い始めた。

「ピアノは誰に聞かせるんやろ」

ぼくも、ふと思った。

母屋の窓越しにぼんやり庭を眺めていると、妙案が浮かんだ。演奏中の自分は、庭の木や草や石のような「無作為の存在」になりたい。誰のために聞かせるわけでもない音楽。イベントの軸足が決まった。

これまでの音楽イベントを振り返ると、すべからく「作為的」に取り組んできた。演奏者である自分がいて、聞き手がいて、舞台と客席が二分する演奏会場。受け手に気に入られそうな曲をちりばめ、決められた時間内で演奏を完結させる。

営利的で紋切り型の音楽イベントの場合、金銭（あるいは従来からの常識）から逸れた運営は、冒険である。幸いにも「音あそび、庭あそび」は、既存のやり方にとらわれない自由が保証されている。そこはひとつ、ルーティンを外さないともったいない。

結局、イベント中の庭の空間では、「料金発生」「座って静かに音楽を聴く」「開始と終わりの時間をあらかじめ決める」などの縛りを設けないことにした。ピアノを弾くとき、実政氏は植栽の剪定や、来客の対応をしてもいい。お客さんも、演奏を聴きたければ立ち止まり、帰りたいときに帰る。

ストリートライブの格好だ。一番大切なのは、「同じ庭の音空間にいる」こと。
敷居の低い運営方法が、環境音楽の本質を考え直す機会になった。

一切隔たりのない音世界

本番がやってきた。ときは、二〇一二年五月二〇日。木々の間をさわやかな風が吹き抜ける、温度感もほどよい午後だった。

ステージの真ん中にはイチョウの大木があり、庭のすべてを見守っている。自分もその木の一部になった心持ちで、ピアノを奏で始めた。実政氏は高木の剪定を始めた。近所の子どもたちや親も空間に加わり、思い思いに庭の中で戯れた。音楽を集中して聴くことから、大きくかけ離れた演奏会。誰もピアノに視線を向けていない。目の前の遊びや庭づくりに夢中だ。弾いているぼくも、演奏している感覚はどこかに消えていった。

気がつけば二時間。鍵盤を触っている意識はなかった。「ただ、そこにいるだけ」という認識。ふと我に返り、高木に目が行った。鬱蒼と茂っていた枝葉が、自然に刈り込まれている。庭に入る光加減も、温度感もちょうどよい。すべての要素が心地よい感覚。

静かに佇む人、存分に走り回る子どもたち、楽しく語り合う人たち。そして、黙々と剪定し続ける実政氏。庭の要素が、音を介して同質となる。「境」や「隔たり」が溶けた音世界。

無作為の音表現空間は、こうして実現した。

演奏と石組みとの共通点

「あっという間でした。皆の笑顔がうれしかったですね」

帰りの車中で、実政氏とぼくは今日のことを振り返り合った。

演奏会の間、一言も交わさなかった。けれど、庭を通じて互いに心が引き合うものが確かにあった。人目を気にするのではなく、自分の音感覚がどう変わるのかに意識を向けた時間。安直な表現欲は仕舞っておく。自分の心動を音に変換し、庭に届ける行為を黙々と行う。その結果、庭の空間と皆が溶け合う瞬間に出会えた。

終わったあとの疲労感がハンパなかった。体力を消耗していた。自然が発する音の波動は大きなエネルギーをもっている。そのパワーに体が過剰に反応したのだろう。

今回の演奏スタイルは、庭の響きを身体に取り込み、風景から得た感覚をピアノによって音に変える。石組みを行う作業と似ている。一つの石を組むと、次の石の組み方が必然的に決まる。心の中で、次の一手が見えるのだ。その域に達するには、使う素材の個性を見抜く直感力が求められる。土地の個性を読み取る感性は、音の表現でも重要だ。

石組みであれば、仮組みを事前に行うなど、ある程度のやり直しがきく。でも即興演奏は、そうはいかない。自分の内部で生まれた音の結晶が、すぐ外部に届いてしまうからだ。やり直しがきかない。

一筆書きの、表現世界。

予定調和を手放す

禅に「即今（そっこん）」「当処（とうしょ）」「自己（じこ）」という言葉がある。「たったいま」「ここで」「自分が」という意味。「その瞬間、自分が置かれている場所で、できる限り精一杯のことをする」という主旨である。へき亭の庭で即興演奏した感覚も、これに近い。部屋の中で曲をつくるだけでは、この域に達しない。予定調和の表現から逃れられない。自分という狭い表現の限界を突破するには、想定外に変化する自然の波動を感じる経験が重要だ。

庭づくりも音づくりも、心の内面を外に表出させる行為である。表現の限界を脱却するには、環境音の「ふだん聞き流している何気ない音」や「意図せず鳴ってしまう音」がヒントになる。

人の意識に上る「目立つ世界」だけで、風景は成り立たない。意識に上らないけれど、その手前で出番を待つおびただしい数の「前意識」の存在。それが、環境音楽のクオリティを上げるのだ。木々の葉擦れ音や鳥の声など、意図せず鳴る無作為な自然音を身体に取り込んでみる。すると、感覚がしなやかになり、音の出し方も好転する。

日常風景の見立て方

「音あそび、庭あそび」への参加は、二〇一七年でのべ六回となった。その間、亀岡界隈の山里の風景を実政氏と一緒に見て回った。出会った人が縁となって、亀岡の別の場所で新たなイベントも展開した。

彼の感性に触れて思うのは、かけがえのない風景こそ見落としがちであること。ありふれすぎて魅力が見えない。風景が変容してはじめて、価値に気づきはじめる。それでは遅い。だからこそ、日常の風景を、新鮮な気持ちで見立てることが必要なのだ。

春の花びら、夏の夕立、秋の月あかり、冬のひだまり……。

スルーされがちな前意識の風景を、丁寧に見立てる機会。それが、「音あそび、庭あそび」の原点だ。

ぼくたちの感覚は、そんな自然の摂理にどこまで近づくことができるのだろうか。

庭をめぐる音の旅は、これからも続いていく。

詳細情報 ・ 日本庭園へき亭

【“音あそび、庭あそび”音空間イベント】

所在地	京都府亀岡市千歳町毘沙門向畑40
植栽	高木（イチョウ・モミジ・カシワ・ケヤキ） 中木（サカキ・ツバキ・サザンカ） 低木（サツキ・チャノキ・ドウダンツツジ） 下草（センリョウ・マンリョウ）
開催時期	2012年5月から毎年1回（小松参加は2017年までの計6回）
楽曲コンセプト	・風景を愛でるための見立てづくり ・前意識で感じる自然音のような即興演奏 ・石組みのような感覚で、風景に音を置く即興演奏
楽曲の特徴	・ピアノソロの楽器編成 ・時々刻々流れる自然音に合わせた、野外演奏 ・明確な始まりも終わりもない時間構成 ・観客に向けた演奏ではなく、庭の万物の一員となる表現
演奏風景	「かわらぬもの」（2012年） https://youtu.be/gZVLCk-nj3M —

Feedback

くらしを生かす音

庭詩　実政秀行さん

あぜ道に曼珠沙華（まんじゅしゃげ）が咲いていると、独特の美しさがあります。田畑を荒らす動物を避けるために人が植えたものです。くらしの摂理に合ったものを過不足なく配置することが、結果的に美しい風景をつくります。作為的でないからこそ、何とも言えない美しさが出るのです。

風景には、長年くらしてきた人たちの知恵や工夫が根付いています。ところが、住む人たちにとっては、その価値が分かりづらいものです。そこをちょこっと整理し、風景のよさを垣間見るための見立てづくりが、ぼくの仕事です。

最近、剪定の鋏の音が減りつつあります。太い枝を切るときの低いコボコボした音の鋏は増えていますが、パチンパチンという高い音が減ってきているのです。「職人」の音が街からなくなってきていることが、小松先生とコラボをしたいと思った理由です。

小松先生の音楽は、都会の真ん中にも大自然の空間にも合い、懐が深い印象があります。その音楽は、具体的な風景に向けられているというより、人の内側に染みわたるように感じられます。ぼくが小松先生の音楽に出会ったのは、意外にもPCのデジタル環境です。インターネットでたまたま見つけました。路地の懐かしい匂いのような、くらしを感じる響きですね。

これまで、へき亭の女将さんと庭の活用法を考えていました。ほとんどの要素は揃っているのに、何か物足りない。それが小松先生の音でした。音楽を聴いたとき、足りない味がついに見つかったという感動がありました。ずっと探し求めてきた味で、どんな空間にも応用できるダシのような音楽です。

造園は、くらしと庭の「間」を大切にします。縁側、雨落ち、石の打ち方……。景色が変わる瞬間が、庭の美しさです。気持ちを切り替える場所や、くらしと自然の結界の部分に、小松先生の音がマッチするのです。

庭で小松先生が演奏すると、そこに居る人の心がオープンになるところが面白いです。場の空気に馴染んで、安心感と心地よさが生まれるのでしょう。小松先生も、庭というものを学生時代に学ばれたから、そうなったのかもしれません。

出会った当初は言葉で表すことが難しかったですが、最近お互いやってきたことの大切な意味が分かりつつある気がしています。

音デザインの現場から――4

水辺風景にドラマを与える

・CDアルバム『キョウトアンビエンス２』［２０１４年］

II

音が変わると空間も変わる——音デザインの現場から

水辺風景にドラマを与える

CDアルバム『キョウトアンビエンス2』

気持ちを整える水音の魅力

水音は、言葉を上回る伝達ツールになる。

そう感じたのは、京都を流れる鴨川の音を聞いたとき。同じ水音でも、場所や季節でめまぐるしく印象が変わる。特に好きな場所は、鴨川上流。三月から四月の頃は、なんとも心地よい。

「コロコロ、チョロチョロ、サラサラ……」

自然の生態が残されているので、音に変化がある。砂や石がゴロゴロあって、音色に彩りがある。北山の雪解け水を集めた流れは、勢いがある。言葉を発しないのに雄弁だ。響きだけで、季節や地形、土地の匂いまでもが身体に浸透する。

市内中心部まで川を下ると、音が一変する。鴨川と高野川が合流する地点――出町柳デルタ付近――は、護岸が整備されている。水音が一定で、平板な印象。周辺からは車や信号機の音、川辺で遊ぶ親子の声、風の音に鳥の声が耳に届く。上流は自然で静的な響き。街の川音は人びとの活気が合わさり、動的である。まさに、京都の日常感。

鴨川は都市河川の中でも勾配がきつい。多くの堰を使い、水を効率よく下流に届ける。そのため、堰からの落水音があちこちで発生し、都市の喧噪をやわらげる。気分転換したくなったときは、鴨川に出かける。水音で頭をマッサージしてもらう感覚だ。

「サーーーーッ」

川音と街の響きが重なると、ホワイトノイズのようになる。頭が整う瞬間だ。

自由な音楽で水音を引き立てる

水音の魅力を、何かのカタチにしてみたい。そう思った矢先、知り合いのギャラリーから「春の水」のお題によるグループ展の誘いを受けた。二〇一四年初頭である。写真家もいれば、陶芸家もいる。展示空間の中で、聴覚的な作品を発表すると、どうなるか。そんな興興味から、京都の水音とピアノ曲を融合させた新作の構想を始めた。

試しに「川」「波」「ピアノ」で、ネット検索してみた。「睡眠音楽」「瞑想音楽」など、リラックスやヒーリング目的の動画がヒット。これらの多くは、静かな水音をバックに、人工的で機械的なピアノが演奏されている。使われている写真は美しい自然風景。だが、水音を採取した場所を特定できない。どこを切っても金太郎飴のように画一的な印象。スグに飽きてきた。小音量で流しても、耳障りだ。

この違和感の原因は何か。ひょっとすると、音楽を聞く側の自由を奪っているのかもしれない。受け手に特定の聞き方を強要し、目的的に音楽を配信する。受け手に「聞く目的」を強要させる音楽スタイル。聞いていて息が詰まる。

ぼくが目指す音づくりは、その真逆。京都にある水音を素材に、言葉を超えた響きの面白さや多様性を伝えたい。水音やピアノの楽曲に意味は乗せない。けれど、聞き手それぞれの立場で、響きを自由に解釈する。受け手の聴力を引き出し、人生に豊かさをもたらせる。そんな作品をつくってみたい。

単に水の音がありますよ、ピアノで癒やされますよ、では満足いかない。積極的に響きを聞き取り、自力で音に意味を発見すること。そうしてはじめて、音楽としての価値が生まれる。能動的に音を聴取する態度を忘れてはならない。単なる癒やしや聞き手を受け身にさせる音源づくりはつまらない。

録音は耳のストレッチ

制作を開始した。まずは、水音の候補選びから。これまで集めてきたアーカイブだけでなく、新録もしたくなった。

「そうだ、あの場所に行ってみよう」

印象的な場所をいくつか思い出した。鴨川は第一候補。水音の多様性を出すため、上流下流それぞれで音を収録した。「丹後の融雪」「阿蘇の波音」「橋立の波音」など、京都府北部地域にも注耳し、水音の収録を進めた。録音する作業は面白い。ルーペを使って、地表面を見るような感覚になる。ぼくたちの音の聞き方は、聞きたい音に注意を向けると、それ以外の音には焦点が合わなくなる。つまり、聞きたい音だけが自動的にピックアップされていく。そうしないと、世の中にある音の洪水に、脳がついていかなくなるからだ。

録音することは、「機械の耳」になること。マイク・ヘッドホン・録音機を通して、現実の環境音を聞いてみる。すると、音や空気の肌触りまでわかる気がして、面白い。今まで意識しなかった音の存在が、大きく巨大化して迫る。川音ひとつでも、マイクの位置が数センチ変われば、聞こえ方は大きく変わる。頭の中でイメージされる水の響きに近い音を探し、マイク位置を決める。

ヘッドホンを外し、実際の音を自分の耳で探してみる。今まで機械によって拡大されていた音の世界が、実際は遠くの方で鳴っているのがわかる。しばらくすると、遠くに感じられたリアルな音にもピントが合ってくる。録音する行為は、耳のストレッチになる。

音で没入するASMR

人間を大きく分けると、視覚人間と聴覚人間がいる。圧倒的に視覚人間が多い。写真を撮ることは普及しているが、音を録音する人は少ない。せいぜい、会話を録音するくらいだろう。それほど聴覚の世界はマイナー。ところが最近、聴覚人間が増えつつある。「ASMR（Autonomous Sensory Meridian Response）」という現象だ。食べ物を咀嚼する音や、スライムをはさみで切る音、字を書く音や、炭酸水をコップに注ぐ音などが、動画配信サイトで溢れるほどアップされている。

ASMRは本来、「聴覚や視覚の刺激による心地よい感覚や状態」のこと。音に意味を求めるのではなく、音の響きそのものに身体を没入させる。人間の本源的な欲求がもたらしたブームかもしれない。音には共有するよろこびとともに、音の対象そのものと一体化する（心理的に近づく）ような快楽もある。

物語を生み出す音楽のチカラ

水音の収録も終わり、水音に音楽をつける段階となった。この作曲法には、独特の感覚が要求される。まずは、録音された水音の響きを聞く。とりわけ音量・音色・うねりといった、意味の手前にある響きを傾聴する。同じ音を繰り返し聞くことで、響きの微妙な違いをつかめるようになる。音と音楽の「はざま」にあるもの。音とメロディが調和する具合を「積極的」に聞き、ピアノの音に変換する作業が、この作曲法の極意。川、落水、雨、水琴窟。ひとつとして同じ水音はない。

しかし、水音だけではノイズのように聞こえてしまう。ASMRのようなアプローチだけでは、吸引力のある物語は生まれない。ピアノだけでも、作為的で飽きてくる。ところがピアノと水音をかけ合わせると、別物に昇華する。想定外だ。1＋1＝2にならない。3にも4にも無限大にもなる。音の意外性がそこにある。

音の魅力を引き出すコツ

各曲の構成は、メロディと水音が同時に鳴り、曲が始まる。そうすることで、聞きやすくストーリーが生まれてくる。水音だけ先行すると、ちょっとしんどい。

ピアノとともに鳴り始めた水音は次第にフェードアウト（減衰）し、しばしピアノだけが残る。四六時中、水の音が鳴ってしまえば、慣れや飽きがくる。だから、所々に水音が現れる構成をとった。人間の注意力を引き出す音づくりが必要なのだ。映像的アプローチをとった作品ともいえる。風景が立ち現れ、不意に消えていく。ドキュメンタリーほどの訴求力はないが、ハッと思わせる瞬間をつくれば、リスナーは何かを感じるだろう。

ピアノ楽曲に環境音を入れる意味を、あらためて考えたい。本来楽曲は、リアルな場の背景音を携えながら存在している。しかし実際は、背景のノイズが除去された録音物として完成する。それだけでは、味気のない缶詰のような音に感じられてしまう。巷に溢れる多くの楽曲は、「録音物＝声や音楽が高純度に缶詰化された音源」である。

現場の雰囲気をそのまま重ね合わせた楽曲があってもいい。だから、記号的意味のない音（＝水）に記号的意味のある音楽（＝ピアノ曲）を加えたのだ。両方がぶつかるからこそ、それぞれの魅力を出し合える。楽曲が無機的にならず、飽きないのである。

音のデザインは、心のデザイン

この作品を聞いた人たちに期待したいこと。それは、作品を聞き終えた後、行動のスイッチを押す存在になってほしいのである。京都に行ったことがない人や、外に出られない人には、耳から空間を自由に飛び回れるような音源になってほしい。つまり、音源を聞いたあと、想像の中で、あるいは京都の現場で、水音と水辺の風景に出会ってほしいのである。

これまでぼくが手がけた音のデザインは、特定の外的な空間を対象にしていた。この作品では、聴覚の印象を司る人間の内面（つまり脳）に直接訴えかける音をつくりたかったのだ。「音による心のデザイン」ともいえるだろう。

京都の水辺の空間で自分の耳を積極的に使い、音を楽しむ引き出しを増やしてもらえたら、と願う。

詳細情報

・『キョウトアンビエンス 2 〜ピアノと水の音風景〜』

【CDアルバム】

制作	2013年12月〜2014年3月
発売	2014年4月
音源アルバム	『キョウトアンビエンス 2 〜ピアノと水の音風景〜』
楽曲コンセプト	・京都の水音の面白さと多様性を感じる構成 ・水の響きを新鮮に感じてもらい、リスナーの聴力を引き出すこと ・アルバムを聞いたあと、現場の水音に出会ってもらいたい
楽曲の特徴	・ピアノソロの楽器編成 ・多様な種類の水音をピアノの楽曲と融合 ・ピアノ楽曲が根幹にあり、背景に水音が出現 ・水の音量を変化させることで、音への注意力をかきたてる工夫
楽曲	『キョウトアンビエンス 2 〜ピアノと水の音風景〜』(ダイジェスト版)(2014年) https://youtu.be/SBGBAET_8f0 —

Feedback

水の音が旋律の一音となる瞬間

音楽評論家　岡村詩野さん

小松さんの活動に触れるたびに、ブライアン・イーノを思い出します。いわゆるアンビエント・ミュージックの礎を築いた英国人音楽家。そのイーノと小松さんの作品に共通しているのは、音の響きが連なったり重なったりして一定の音階、もしくは一定のリズムを辿るものであるという、基礎中の基礎にこそ音楽の豊かさがあるという哲学です。

例えば、雨が降る音は、地面や屋根、木々などに雨粒がぶつかったときの音。川の流れの音は岩や石をかすめるときの音にほかなりません。そして、そのぶつかったりかすめたりするときに音が聞こえてくるのは、そこに空気があるから。音そのものを採取するだけでなく、そこに音階を探り、リズムさえ見い出す。そしてそこに、ときには子どもやお年寄りの心にも届くような色彩やドラマを与えることで楽曲にしていく、そんな音楽家です。

『キョウトアンビエンス２』は、さまざまな場所で採取した音の断片を用いながら楽曲として仕上げた作品集。水と音をモチーフにした楽曲が揃っています。小松さん愛用のリニアＰＣＭレコーダーを片手に、丹後や大原といった郡部・山間部から高瀬川や出町柳といった街中まで、さまざまな場所におもむき水の音を採取し、その音からインスピレーションを得てコンポーズ。曲の中には実際に採取した川のせせらぎ、水の滴る音などが組み込まれています。

驚かされるのは、単に効果音として挿入されているのではなく、小松さんが奏でるピアノの音色や音階とそれらの採取音とが一体となっていること。わかりやすくいうと、水の音がそのまま旋律の一音となっていたりする瞬間がここにあるのです。あらゆる音は空気の振動によってもたらされ、その連なりが美しいメロディになっていくという音の摂理に従って、気品に満ちてはいるものの、あくまで目線の低いカジュアルな作品となっています。

ＣＤショップに並んでいる人気アーティストの作品も、テレビの歌番組から流れてくるヒット曲も、天才といわれる歴史的作曲家の傑作も、すべからくこうした真理の上に成り立っていることを、小松さんは教えてくれているのです。

音デザインの現場から――5

星空を見上げて

久万高原天体観測館

［2015年］

II

音が変わると空間も変わる——音デザインの現場から

星空を見上げて

久万高原天体観測館

（中村彰正撮影）

天体分野との縁がはじまる

偶然の縁が、必然に変わっていく。

これは、ぼくのライフワーク「環境音楽制作」を通して得られた実感だ。魔法のように音の縁が生まれ、それが広がり、地域の人や場所につながる感触を、これまで幾度か経験してきた。音活動を続けていたからこそ、生まれた縁はたくさんある。

愛媛県にある久万高原でも、ミラクル発生。二〇一四年の夏だった。

その春、「久万高原で、星空と音のワークショップに参加してほしい」との依頼が舞い込んできた。愛媛で自然環境教育活動を行う「森のこころ音（ね）」というグループの、井上泉（いのうえいずみ）氏からの連絡である。同グループの鍵矢知佳（かぎやちか）氏が、ぼくの音活動に興味を持たれたことが、縁のはじまりだった。

久万高原ふるさと旅行村で、「森の部・森を遊ぶ　森の音探し」「食の部・久万高原の恵みをいただく」「星の部・天体観測と星の音」の三部構成で会を行うことに。ぼくも講師の一人として、演奏と音のワークショップをすることになった。もともと天体分野には興味があった。中学生時代には父親の一眼レフカメラで、月面の多重露光写真を撮影したこともある。そんな世界に、音を加えたらどうなるのだろう。そんな興味を抱きながら、愛媛に向かった。

ハプニングが縁をつなぐ

会当日、異例の事態が発生した。台風襲来で、屋外での催しが中止になったのだ。早朝、宿泊施設に近い河川を見に行くと、濁流が川岸に押し寄せている。ただごとではない。限られた人数の参加者が久万高原天体観測館内に集い、予定よりも早い時間帯に会をはじめることになった。

まずは、館内の展示フロア内にピアノを設置。演奏をはじめると、不思議なことに雨足は弱まり、鳥も鳴きはじめた。しっとりした空気感の中、親密度の高い即興演奏をすることができた。その後会場をプラネタリウム空間に移し、観測館職員の中村彰正氏によるプラネタリウム投影解説の時間となった。

久しぶりのプラネタリウム体験。もともとは中村氏が講師となって、天体観測を体験することになっていた。それが屋内のプラネタリウムに変更された。後で振り返ると、そのハプニングこそが、久万高原との深い縁のはじまりだったのだ。

プラネタリウムは、定員が四〇人程度のこぢんまりした木製空間。野外の鳥の音も聞こえてくる。館内はだんだん暗くなり、夕焼けに染まった空が頭上に現れた。ほどなく中村氏の解説がはじまる。ソフトでやさしく、ゆったりした口調で。

「太陽が西の空へと傾いてきました。辺りが暗くなりますと、星がたくさん見えてきます」

音フェチのぼくは、中村氏の声にまず魅了された。それがスイッチとなって、投影された星空の世界に誘われた。独特の声色とテンポ。星の動きと見事にシンクロしている。派手さはないけれど、その調和感がぼくの心を鷲づかみにした。しばらくして、手元の鍵盤ハーモニカを吹きはじめた。声の邪魔にならないよう、ゆったりした小さな音量で。

音のチカラは絶大だ。偶然に生まれた縁が「いま、ここ」で結ばれる感覚。中村氏の声と鍵ハモがシンクロした感覚が、身体からしばらくの間離れなかった。

メロディが湧き出る不思議

「プラネタリウムのための音楽をつくりたい」

京都に戻り、しばらくして湧き出た気持ちだ。プラネタリウムで感じた心動を、環境音楽に託して場に届けたい。どのプラネタリウムでもよいわけではない。久万高原天体観測館だからこその心動なのだ。

「人間の脳が生み出す想像力は、宇宙よりも広い」

中村氏が言っていた言葉が、頭をよぎった。宇宙の大きさからしてみれば、人間の存在なんて、ちっぽけなもの。宇宙の歴史と比べても、人の一生は一瞬である。ところが面白いことに、人間の生み出すイメージは広大無辺。宇宙をも凌駕する。そんな人間の不可思議に想いを馳せていると、十数曲ものメロディが湧き上がってきた。

ぼくは、自分が生み出したメロディの役割は、生地やダシだと思っている。いわば、曲の原石。料理（アレンジ）の仕方によって、同じメロディでも千変万化する。場にふさわしい環境音楽をつくるには、身体を場に浸らせること。場の第一印象、そして、現場で鳴り響く音のカタチ。そうした見えない感覚は、記録が難しい。だからこそ、自分の身体を一つの測定器のように見立て、場を観察しまくることが肝要なのだ。どうすれば、空間を使う人がよろこんでくれるのか。笑顔の出る音づくりとは、何なのか。

ぼくのファースト・インプレッション。それは、プラネタリウムの空気感に寄り添い、中村氏の声に調和した音楽をつくりたいという衝動である。でも、それだけでは、環境音楽は生み出せない。星空の世界を引き立たせるための工夫が必要だ。

プラネタリウムにふさわしい音楽

音源の制作中、小学生の頃、父親に連れられて出かけたプラネタリウム（大阪市電気科学館）の想い出がよぎった。暗くなったとき、妙に不安を感じた。暗さや閉塞感を緩和する音楽がいいかもしれない。久万高原天体観測館は狭い部類に入る。音楽の力で空間的な広がりを出してみたい。

参考までに、他のプラネタリウムも観察した。子ども向けのユニークな解説、CGや香りによる空間演出など、創意工夫がなされた館もあった。気になったのは、音環境。刺激の強い演出音楽が大音量で流れている館や、職員の解説だけの館もあった。

それらをもとに、当館の環境音楽づくりの方向性（仮説）を考えた。その結果、「ストーリー性を感じるメロディと曲順（天体空間をほどよく演出させるための工夫）」「声の音域を邪魔しない（解説の声を生かした音楽再生）」「話を邪魔しない速度（会話のスピードよりもゆったりしたテンポ）」「天体の感覚にマッチする高音（キラキラする輝きには高音がマッチ）」「残響時間を長めにして閉塞感を減らす（音で空間の広がりを感じさせる処理）」「場面展開がしやすい三分程度の曲（天体の話題が次々と変わるため）」の六点を打ち立てた。

アルバム制作時の曲のストーリーとしては、馴染みのある一二星座を季節の順に並べ、途中で四節季の即興を入れた。最初と最後の曲は、「日没」と「夜明け」と名づけた。楽曲は『スターアンビエンス～プラネタリウムのためのピアノ音楽～』としてCDパッケージ化した。ジャケットは、中村氏が撮影した天体写真である。

環境音楽導入後の手応え

二〇一五年一月。ついに環境音楽が完成した。同年春の一ヶ月間、館のスタッフの協力を得て、来館者に意識調査を実施した（三七名が回答）。属性は男女が半々で、三〇歳代年齢層が最も多い。五〇歳までの来館者が全体の七割を超えている。一人で来館する人はいなかった。二人組が四割、三〜五人組が半分近くを占めていた。館内で最も多く聞かれた音は「環境音楽」、続いて「解説者の声」で、どちらも好意的に捉えていた。環境音楽の要不要については、九五％の来館者が必要と答えた。理由としては、「リラックスできる」「落ち着く」など、館内の雰囲気に安らぎを与える要素として捉えていた。

また、「星の世界に集中できる」「退屈さを感じさせない」など、天体の世界に没入する音楽の効果を感じる人もいた。また、音楽と声の調和については、記入者全員（九七％）が調和していると回答した。環境音楽の演出効果については、「音楽があれば解説もドラマチックに感じる」「本物の夜空に音楽はないが、楽しむ要素になっている」といった反応があった。今回設定した環境音楽制作の仮説が、おおむね実証された成果だ。

環境音楽の運用開始一年半後の二〇一六年夏、天体観測館の中村氏に導入後の感想を伺った。

「当館は、自然の音が聞ける施設なので、プラネタリウムの環境音楽は押しつけでないことが大切です。これまで市販のCDを使っていましたが、専用の環境音楽を制作していただき、満足しています。夜へと進行させる演出以外の時間に、BGMとして同じ音量で活用しています。曲の切れ目が話の終わるタイミングに合うと、大変よい感じになります。曲の終結部が投影中の星座絵を絞る瞬間に重なると、特別にあつらえた効果音のように感じます。解説の声と曲がリンクしていくと調和が生まれ、新しい感覚になります」

その日、再びプラネタリウム投影を楽しめる機会に恵まれた。中村氏の感想とともに、曲がプラネタリウムに馴染んでいる現場を実感することができた。夏の自然音が、館外から時折聞こえ、館内の音環境にマッチしている。最初のライブ時に感じた久万高原の自然音の記憶が、無意識に曲に溶け込んでいるのかもしれない。

成功要因を探る

ぼくの勝手なマイプロジェクト（環境音楽制作）が、現場の空間に調和して運用されている事実。縁が続いているのは、宇宙の奇跡のようだ。どうして短期間でこのような成功につながったのかを分析してみたい。

まず、音源を導入するときの作業負担が少なかったことが挙げられる。CD一枚ですべてまかなえるからである。そして、楽曲がピアノ単体で同じ音量で再生され、音数が少ないために、効果音に近い使い方がされている。さらに、当館は小規模な公共施設であり、組織内の意思決定がスムーズだったことが、大きな要因と思われる。近年ではどの公共施設でも、限られた予算の中で創意工夫を重ねる運営体制が求められている。その際、施設のハード面に頼りすぎず、比較的廉価な方法で場を改良できる手法が、音環境デザインではないかと、ぼくは考えている。

少しさかのぼること、二〇一五年二月。久万高原で縁が再び生まれることになった。完成したCDのお披露目コンサートが企画されたのである。当日は広範囲で雪が降り、最初の台風を彷彿させた。本番では、ぼくの演奏とともに、中村氏との対談を行った。宇宙人の存在について楽しく語り合った。宇宙の神秘を満員の来場者とともに分かち合えた。

純粋な制作プロセスが、価値を生む

極論をいってしまえば、人間が生み出す音楽の構造なんて、誰がつくっても五十歩百歩ではないだろうか。しかし、出てくる音は類似していても、それを生み出すプロセスによって価値が変わるから面白い。場の存在にどこまで肉薄できるのか。つくりだそうとする環境音楽にどんな仮説を組み込めるのか。深掘りのコミットメントを進めることで、調和の一歩上を行く表現が生まれるのだ。そのつど、生身の人同士が膝を突き合わせて、お互いの想いを擦り合わせる。その波動を逐一受けとめ、音楽に変換させることが肝要なのだ。

環境音楽を作曲することは、芸術家とデザイナーの中間領域をなしている。どちらの素質も必要だ。今回は、問題解決を目的とするデザイン手法というよりも問題発想型である。音楽制作（自己表現）の色合いが強かった。このことがかえって演出性を高める効果となり、プラネタリウムにマッチする楽曲づくりにつながった。

ぼくは、職業的作曲家ではない立ち位置にいる。採算と時間に囚われない活動だからこそ、純粋さが現れたり、縁が長く続くことになったのだろう。金銭を第一目的に置かない表現活動。商業ベースにはマッチしづらいけれど、これこそが、自分の好きを社会貢献につなげる魔法なのだ。

大切なこと。それは、自分の好き――空間の音をつくること――を純粋な楽しみにすることで、行動力と情熱が生まれる。だからこそ、マイプロジェクトとして続けられてきたのだ。

再び、久万高原天体観測館を訪れる日を、楽しみにしている。

詳細情報・久万高原天体観測館
【プラネタリウムの環境音楽】

所在地
愛媛県上浮穴郡久万高原町下畑野川乙488

制作
2014年8月〜12月

完成
2015年1月

音源アルバム
『スターアンビエンス 〜プラネタリウムのためのピアノ音楽〜』

楽曲コンセプト
・想い、共感、愛情こそが、音楽制作の原点
・プラネタリウムの足りない要素を音で補う
・自己表現を社会貢献につなげる

楽曲の特徴
・ストーリー性を感じるメロディと曲順
・解説者の声の音域を邪魔しない
・話を邪魔しない速度
・天体の感覚にマッチする高音
・残響時間を長めにして閉塞感を減らす
・場面展開がしやすい3分程度の曲

アルバム
『スターアンビエンス』(ダイジェスト版)(2015年)
https://youtu.be/gbceREtXSco
—

Feedback

プラネタリウムに降り注いだ奇跡の音

森のこころ音代表　井上泉さん

あの日、私たちは叩きつける雨の音の中に居ました。小松先生のピアノから流れる音楽と混じり合いそのうちに雨の音が聞こえなくなり、プラネタリウムのロビーに満ちた音色は、周囲の山々に向かってどこまでも広がっていくようでした。演奏が終わると、窓を打つ雨音に、ああ、まだ雨が降っていたのだと気付きました。

小松先生をお迎えしたい……。

私たちは環境学習グループとして毎年、県内外から魅力的な講師をお招きして活動をしていました。この年、メンバーの一人が目を輝かせて、小松先生のことを紹介し、全員一致でお招きしたい、ということになり、お願いのメールを書きました。すぐに快諾のお返事をいただき、遠路お越しいただくことになりました。

イベントのタイトルは「森に降る星の音」と決定し、久万高原天体観測館が世界に誇る中村彰正さんとのコラボレーションを計画しました。

当日は台風襲来という悪天候のため会場を室内に変更し、少人数で小松先生の演奏と中村さんの解説を楽しみました。そのときに、楽しそうに話す小松先生と中村さんの様子がとても素敵で、このままになってしまうのは残念だなあと思っていました。またこのような機会をつくってたくさんの人に聞かせてあげたい……でも、それは私の心の中だけでの思いでした。

ところが、しばらくして小松先生から、久万高原天体観測館からインスパイアされて『スターアンビエンス』というCDをつくられたとお知らせいただきました。ジャケットには中村さんが撮影した久万高原の星空。心が震えました。

これはぜひ、生で演奏していただき、中村さんとのコラボレーションを再び、と久万高原町にお願いしたところ、町が先生をお招きくださることになりました。そのとき、思いました。ああ神様はいらっしゃる、と。

今も久万高原天体観測館では小松先生の『スターアンビエンス』が解説のBGMとして流れています。プラネタリウムの片隅で一人プログラムを楽しんでいると、中村さんの声と小松先生の音色が自然に溶け合って心地よく星空を包んでいきます。

仕事で遅くなった日は、星空の下、車を走らせながら『スターアンビエンス』を流します。一日の疲れが溶けていき、幸せな気持ちになります。誰もが見上げる星空に美しい響きを加えてくださり、ありがとうございました。

音デザインの現場から——6

絵画をきいて、みる

ポーラ美術館
［2015年］

じっくり
JIKKURI
04 きいて みる
Landscape + Soundscaping
素敵な風景に出会うとき、
私たちは知らず知らずのうちに、
その場所で眼にした光景とともに、
風の音や木々のざわめきを感じ、
記憶に留めています。
画家たちの描く絵画のなかにも、
眼では捉えにくい情報がぎっしりと詰まっているかもしれません。
ここでは、いくつかの自然の音とともに
絵画の世界を感じることのできる空間をご用
耳を澄ませて様々な音とともに
絵画をじっくり味わってみましょう。

音で絵の中に没入する

「えっ、絵から音が出ている」

目の前の絵画は、一八九〇年にクロード・モネが描いた《バラ色のボート》。フランス・エプト川の舟遊びの情景を主題とした作品だ。緑豊かな浅瀬の河岸に浮かんだバラ色のボート。画面の右端でボートが切断され、オールが誇張して描かれている。ボートに二人の若い娘が乗り、一人はこちらに視線を投げかけている。川の水面と水草の色彩が絶妙だ。

「サワサワ……、スーッ……。キュイッ、キュイ……」

川のせせらぎに葉擦れ音、オールをゆったり漕ぐ音。密かな音の響きが、どこからともなく聞こえてくる。絵の印象に調和した環境音が臨場感を与える。微かな音量ゆえ、絵に意識が強く向けられる。ゆったりした絵画空間の世界。目を閉じても、絵画の残像と音の効果が続く。絵の中に没入するような錯覚が生まれる。

神奈川県箱根町にあるポーラ美術館。特別展示『じっくり〇四　きいて　みる』の企画。美術をじっくり楽しむために、作品を見る「きっかけ」を用意し、作品鑑賞に没頭できる展示空間を目指している。

モネの絵画《バラ色のボート》に出逢う

はじまりは、二〇一四年末。「じっくり」シリーズで、音をテーマにした展示を行いたいとの連絡が入った。ポーラ美術館学芸員の東海林洋氏が、『サウンドスケープのトビラ』（昭和堂）を読み、小松に音響監修をお願いしたいという。絵画に既存の楽曲を合わせるのではなく、自然音に近いものを導入する。視覚に聴覚を加えて、作品に「気づき」を与える鑑賞法を追求したいとのオーダーだ。

美術館という施設は、多くの視覚作品に集中するので、目が疲れてくる。すると、作品を見る気が失せるのだ。もったいない。もっと、お気に入りの作品を味わいたい。鑑賞者一人ひとりの主体的な感じ方を大切にした、作品との出会い。それを追求するのが「じっくり」シリーズではないかと、ぼくは思った。

ポーラ美術館にはじめて訪れたのが、二〇一五年の二月初旬。今にも雪が降りそうな寒い日だった。二〇〇二年に富士箱根国立公園の中に開館した当館は、原生林に近い環境と共存するため、展示空間を地下に格納している。ガラスと円型のデザインを駆使した、モダンなつくりだ。姫沙羅の森の中に、美術館の入り口がひっそり現れる。受付で東海林氏と待ち合わせ、《バラ色のボート》の展示空間に案内してもらった。

想像以上に絵が大きい。近づくと、点描や線描の筆跡がじかに感じられる。生々しい。離れると、緑とピンクの配色のコントラストが際立つ。移動しながら絵画を見ていると、ここぞという鑑賞ポイントを発見した。「近景」と「遠景」である。それぞれのポイントにふさわしい音の響きは何かと自問自答しはじめた。

臨場感ある響きをどう生み出すか

これまで公共空間の音デザインでは、「人の声」や「音楽」といった、意識に上りやすいものが多く使われてきた。今回の主役は、背景に潜む自然音や物音。刺激は少ないが、意識の手前（前意識）での感じ方が決め手となる。

大切なのは、「その場にいる」という臨場感。意識と前意識のあいだに目がけて、戦略的に音をつくる。知覚のスキマをねらい、ほのかに音を流す。再生スイッチを意識的に押す方法では不十分だ。鑑賞者の動きに応じて音のきこえを変化させる。絵画の外にある風景をイメージさせる音を加えると、空間の感じ方は広がるだろう。これらの要素がかけ合わされると、絵画の立体感が倍増していく。

とはいえ、こうした手法は難易度が高い。幸いにも二〇一四年末、類似の経験をした（三重県伊勢市・赤福本店の五十鈴倉で行われた、江戸時代の浮世絵を素材にしたアニメーションのプロジェクションマッピング）。浮世絵がアニメ化された動画に、前意識的な背景音を導入したのである。木造建築風の広い宴会場空間での賑わいの音景、遠くの川や人々の賑わいを山の中腹から眺める音景、渡し場の木船が動く音景、遠くで餅を食する人々の賑わいと餅を唐臼でつく音景。手探りだったが、大好評だった。

《バラ色のボート》では、前意識で知覚される「背景音」を広範囲で静的に、意識で知覚される「前景音」を狭い範囲で動的に再生することにした。背景音は「水の流動音、葉擦れ音、鳥の鳴き声」で、空間全体を包み込む響きにした。ソフトな音色である。前景音は「ボートを漕ぐ櫓の音、至近距離で跳ねる水の音、葉擦れ音」で、近くで触れられそうな響きを再現した。明瞭でゆったりしたリズミカルな音である。

素材の録音と編集

方針が決まり、京都界隈で音の収録を行った。川音は糺の森の泉川、ボートを漕ぐ音は嵐山の屋形船、葉擦れ音は高野川のススキを収録。まさに、京都とフランスが音で融合する瞬間だ。

冬季は荒れた天候が多く、録音の成果は運任せ。風がきついとノイズが乗るので、おだやかな日を待たねばならない。

「スーーッ、サーーッ、ザーー……」

特に印象深かったのは、嵐山で屋形船の貸し切りをしたとき。船頭さんに事情を伝え、ぶっつけ本番の収録。櫓がまるでヴァイオリンの弓のように、弦と見立てた水面を見事に奏でる音が収録できた。ゆったりしたリズムに躍動感ある雰囲気。今回の要となる音の収録は大成功。

素材音が揃ったので、編集に移る。音を整える工程。この作業が難儀だ。自宅のPCで作成した音源を、東海林氏に随時送る。展示空間の現場で音を確認し、不備や改良点があればそのつど連絡が入る。今やネット環境なので、音源を簡単に送れるようになった。けれども最後の詰めは、手仕事だ。音源を送っては確認し、改良案をもらい、修正を試みる。送付作業は、のべ二〇回以上要した。

編集のポイントは、再生時間、周波数、残響、音量変化、音色、再生装置とのマッチング。一つを調整すると別の要素にも影響するので、確認と微調整の連続となる。クオリティを高めるには、徹底的に細部を突き詰めること。

音は目に見えない。だからこそ、何度も聞き直し、納得するまでつくりなおす。神は細部に「しか」宿らない。多くのモノヅクリに共通したコツだ。最大の主眼は、音をいかに絵画に溶け込ませるか。少しずつ改良を加えることで、場の印象が大きく変わってくる。

再生時間は短いもので二四秒（ボートを漕ぐ音）、長いもので三分（一発録りした川音やススキの葉擦れ音）。時間の尺に余裕を持たせることで、違和感なくループ再生できる。周波数は、音源が会場内で馴染むように調整。残響は、背景音には深めに、前景音には浅めにかけた。

特に工夫を凝らしたのは、葉擦れ音。そのまま使うとノイズにしか聞こえず、不快になる。それを心地よい鑑賞空間に仕立てるのだから、難易度は高い。葉擦れ音の導入は諸刃の剣だ。音量を適宜変化させると、風が葉を揺らすような響きになる。音量変化や周波数の処理を重ねることで音と絵が調和し、ようやく心地よさが引き出される。

展示にもう一工夫

いよいよ会期が迫ってきた。入れ替え期間は二日間しかない。事前の仕込み具合が成否を決める。最終的に四つのスピーカを使った。二つは背景音を再生するために無指向性（部屋のどこでも音が聞こえる）スピーカを壁面に設置。会場全体に森の音（川・鳥・葉擦れ音）の遠景を再現した。もう二つは前景音を再生するために、超指向性（限られた場所にしか音が聞こえない）スピーカを天井から設置。左側は葉擦れ音、右側は櫓の音をピンポイントで使い、近景を再現した。

超指向性スピーカは、音の範囲がきわめて狭い。鑑賞者がスピーカの真下に入って、はじめて音が知覚される。身体の動きと視聴覚要素が連動するので、バッグンの体感性だ。再生環境はハイレゾリューションの超高音質。床にはカーペットを敷設し、音の反射やこもりを抑えている。

「ペラッ、パタ」

会場内の片隅で、静かに紙をめくる来場者の姿がある。不思議な光景だ。

今回の「じっくり」企画では、鑑賞に入る前に、耳を整えるための準備プロセスを用意した。音を聞く行為は自律的なので、自分でコントロールしづらい。つまり、ふだんの耳の状態では、背景音に注意が向きづらいのだ。

そこで、「耳の体操コーナー」を設けた。音を出さずに紙をめくることで、耳のチャンネルが自然に変わり、音に敏感になる。結果、モネの絵を耳と目でじっくり鑑賞できる体勢が整うわけだ。

舞台裏の専門的な話だが、美術館現場では最小限の労力での運営が不可欠である。スタッフは音響機器の立ち上げを毎朝行わなければならない。そのため再生機器はボタン一つで起動できるPC環境が理想だ。今回の機材組みでは、その点も配慮した。

好調な滑り出し

二〇一五年四月一日。いよいよ展示が始動。学内業務で現場に駆けつけられない私に代わって、当館のスタッフが現場で準備作業を無事終えた。さっそく東海林氏からメールがあった。

「展示がスタートしました。好評をいただいております。パネルを追加したり、お客さんが入ってから微妙に音量を調整したりとバタバタした一日でしたが、展示のコンセプトに対する理解はかなり得られたようです」

その後、展示構成を改良したり、背景音の音量を当初より小さめに設定するなどの微調整が行われた結果、さらによいものになったと館内外から声が出ている、との報告があった。

それから二ヶ月後、現場を見に行った。平日のせいか、お客さんはまばら。思い思いにモネの絵を見ている。絵画空間をじっくり感じ、長時間立ち止まっている様子だった。スピーカから出ている環境音が、会話や足音などの周囲の音をうまくマスキングし、独特の落ち着きが漂う。見る場所や角度、高さによって音が変わるので、同じモネの絵でも印象が大きく変わる。「じっくり」展示のスペースだけが他の展示と独立している。そのためか、来場者がリラックスして自然な会話をしている様子が印象的だった。

モネの地元であるフランスからの来場者もおり、ナチュラルな展示だったとの反応が返ってきた。音質も、予想以上にやわらかくなっていた。あまりにも自然に音が流れている。絵画との相互作用に、場が溶け合う心地よさを感じた。

さりげない音づくりの難しさ

八月には、展示に関連するレクチャーと音のワークショップイベントを開催。当時、箱根エリアの噴火警戒レベルが上がり、集客が心配されたが、参加者の四八名が「じっくり」展示や音を聞く楽しさを感じる時間となった。

さらにぼくは、当館の空間や箱根の環境にも心を惹かれ、ショップやカフェなどの空間にふさわしいピアノ環境音楽を制作した。もともと美術館は、音楽を流すことに大きな抵抗がある場所だが、疲れやすい空間でもある。そこで、聴覚から空間改良できる可能性を考え、美術館に合う音楽の制作を行った。対象となるのは、観賞室以外の公共空間（レストラン・ショップなど）。一二曲の透明でのびやかなソロ・ピアノアルバムが完成した。現在でも、ミュージアムショップで音源が流されている。品格を損なわず、単調な流れにならないように配慮した。噴火の影響による復興を祈念し、箱根町にも五〇枚程度のＣＤを寄贈した。

今回の依頼を通して感じたこと。音デザインの要は前意識の領域にあること。そして、さりげない自然な音づくりが一番難しい、ということ。安直に音を導入するのではなく、人間の知覚特性を配慮する音づくりが重要だ。場を盛り上げるための手段として音を使うことは、一面的だ。意識の段階で感じる知覚特性に配慮して、場全体に落ち着きをもたらせること。それがあって、作品全体のクオリティが底上げされるのである。音に対する深掘りのプロセスは、美術館や公共空間のあり方をきっと変えていくだろう。

まだまだ聴覚の可能性は眠っている。そのことを深く感じた経験だった。

詳細情報 ・ **ポーラ美術館**

【絵画に自然音を加えるプロジェクト】

所在地	神奈川県足柄下郡箱根町仙石原小塚山1285
制作	2015年1月〜3月
会期	2015年4月1日〜9月27日 (コレクション企画「じっくり/ JIKKURI 04 きいて みる」)
音源アルバム	『イン・ザ・グリーン 〜美術館のためのピアノ音楽〜』 ※本アルバムは、上記のプロジェクトで使われた音源ではなく、小松がポーラ美術館から着想して生み出したピアノ環境音楽である。
楽曲コンセプト	・美術館に来場する人々の疲弊感を緩和させる ・美術館にいる人や空間が「主役」になれる音楽 ・美術館には音楽は不要、という定説を考え直すための音楽
楽曲の特徴	・館内の背景騒音をマスキングする効果 ・視覚刺激の多い空間を耳でなごませる ・音楽を必要としない人には無視が可能 ・館外の景観の印象を音楽で引き立たせる
アルバム	『イン・ザ・グリーン』(ダイジェスト版)(2015年) https://youtu.be/nw_6jTjg24g

Feedback

「気づき」を与える作品

ポーラ美術館学芸員　東海林洋さん

一緒にお仕事をさせていただいてから五年が経とうとしています。

当時、収蔵しているコレクションの見せ方をどう変えていくかを考えたのが、「じっくり／ＪＩＫＫＵＲＩ」という企画でした。近代美術館が成立した一〇〇年くらい前の世界では、感覚は純粋であることがよいと信じられていたため、絵を見ることに特化した「ホワイトキューブ」という空間が生まれました。こうした美術館は日本では教育施設としての機能も備えていたことから、「おしゃべり禁止」といったように図書館のような厳格な場所になっています。

こういう側面が美術館のつまらなさを生んでいるのではないかと考えて「じっくり／ＪＩＫＫＵＲＩ」を始めました。小松さんにお願いした「きいて　みる」はその四番目になります。作品を純粋に眺めるだけではなく、通り一遍の解説とも異なる「気づき」を与えるにはどうしたらよいのかと考えている中で出会ったのが、小松さんの著書『サウンドスケープのトビラ』（昭和堂）でした。

印象派の画家による作品を対象にしたい気持ちがすでにありました。モネ、ルノワールという印象派の画家たちは、一九世紀後半にアトリエで歴史画や神話画の制作に勤しむアカデミズムに反発し、戸外にイーゼルを立てて感覚が捉えた自然をカンヴァスに残した人たちです。

その絵画はマニュアルや観念ではなく、雑然とした自然の中でこそ得られた身体的な感覚が残されているため、視覚だけでは気づくことのできない領域があるのではないかと想像していました。それこそが小松さんのいう「前意識」への気づきとリンクしたのだと思います。

ほぼ実験しながら進んでいる毎日でした。部屋を段階的に深い色となる空間を用意して没入する動線を用意し、作品の周囲にカーペットを敷くことで音をマイナスにデザインしました。

結果として、多くのお客様に「じっくり／JIKKURI」というコンセプトを含めて伝えることができたと感じています。当館での試みを受けて、他館でも導入した事例があったという声も耳にしました。場所や作品に応じて方法はさまざまだと思いますが、試行錯誤を通じてこそ美術に触れる目、そして耳が開かれていくのでしょう。

ますますのご活躍を楽しみにしております。

音デザインの現場から――7

故郷の音を・甦らせる・

京都府立丹後郷土資料館［2016年］

故郷の音を甦らせる

京都府立丹後郷土資料館

静けさが、不快を招く

「うわっ、入りづらい」

建物に入るとき、そう思うことはないだろうか。ドアを開けた瞬間、妙な違和感が漂ってくる。一因は音だ。極端にうるさかったり、逆に静かだったり。足取りが重くなる。せっかくの空間も、音ひとつで客足が遠のく。

ネガティブな紹介になるが、「京都府立丹後郷土資料館」（京都府宮津市国分）もそのひとつだった。実家から徒歩で五分圏内にある。小さい頃から親しんだ場所で、築約五〇年。一日平均の来館者数は約五名。一九七二年の開館直後は来館者が多かったが、訪れるたびに閑散とした佇まいになりつつある。音のチカラで改良できないか。館技師の吉野（よしの）健一（けんいち）氏に、音デザインの提案をもちかけてみた。

「いいですねぇ」

開口一番、興味をもってもらえた。彼も館の好転に向けて、日々策を練っていた。限られた予算の中、館の運営に知恵を絞っていた。提案した音のデザインは、館内の形状は変えず、その場に合う音源を導入することで、空間の印象を変える方法だ。

館内を観察した。音量は三〇デシベルを下回る。音楽スタジオに近い静けさだ。自分の出す音が気になる。足音、咳払い、声。音を気にしはじめると、身体動作もぎこちなくなる。体育館のように、館全体がひとつの大きな空間になっている。一階と二階もつながっている。音ひとつが空間全体に響く。一階の事務室から、会話の声が、ドア越しに展示空間にまで漏れ聞こえる。公共空間が静かすぎるのも、大きな問題だ。来館者は、足早に館内を見て回る。何しろ滞在時間が短い。

環境音楽、四つの効果

一般的に、自分の出す音が気になる問題は、トイレでも発生する。自分の排泄音を他人に聞かれるのを嫌がるのだ。日本国内ではとりわけ、トイレ用擬音装置（いわゆる「音姫」）の需要が多い。装置が開発される前は、マスキングのために水を流し、水の無駄遣いが問題だった。空間は変えず、音源の再生で問題解決する音のデザインだ。

これまでの実践経験から、環境音楽がもたらす効果は四つあると考えている。一つ目は「賑わい効果」で、場所を音から活性化させる。二つ目は「リラックス効果」で、おだやかな音の再生が心理的に安心感をもたらす。三つ目は「マスキング効果」で、不快な音を聞こえづらくさせる。四つ目は「視聴覚相互作用効果」で、視覚から受ける印象を音で変化させる。当館で優先順位が高いのは、「マスキング効果」。自分の出す音をマスキングし、館内に居やすくさせる。

生活民具に光をあてる

とはいえ、既存の音楽を使っても効果は薄い。展示物に見合う音の素材を楽曲に盛り込むのが良案だ。環境音と音楽を掛け合わせるやり方である。さっそく吉野氏に相談した。

「とても、いいですねぇ」

おだやかな雰囲気で、提案を受けとめてくれた。環境音楽の制作が、ネガティブ対策だけだとつまらない。もっとポジティブな要素――賑わい効果――を生み出してはどうだろうか。

「当館が運営する永島家の、生活民具を使う手がありますね」

永島家は、館が運営する建物のひとつ。本館から少し離れた場所にある民家だ。別の場所にあったのだが、一九九四年に移築した。生活用具類一式も展示している。それらの道具の音を実際に出す。ナイスアイデアだ。

「機織り、糸車、千歯こき、唐箕、薪につけた火の音がよさそうですね」

彼の提案は、ぼくのモノヅクリ魂に火をつけた。自然音をピアノ楽曲に入れたことはあったが、人の出す生活音を使ったことはなかった。他者とコラボする醍醐味は、自分の枠を超える発想に出会えること。まさにいまが、その瞬間だ。

今回制作する環境音楽は、「音楽」「資料」両方の要素がある。館内の展示は、丹後地方の生活やくらしに根ざした内容が多い。館内に生活音を導入することは、視聴覚の相互作用の向上にもつながる。ピアノ曲はリラックスする曲調だから、四つの効果すべてを含んだ環境音楽が生まれるかもしれない。

楽器のように民具をさわる

二〇一五年八月一四日。故郷の生活音を甦らせる瞬間がやってきた。幼少からこの地に住んでいたが、民具や道具の「音」を実際に聞いたことはなかった。音を再現し収録するだけでも、貴重な音響資料になる。

収録当日は、真夏の炎天下。外からの音を遮るため、民家にあるすべての雨戸を閉めた。室内は蒸し風呂状態。過酷な環境の中、吉野氏は民具の音を出しはじめた。まずは石臼から。響きは低く、音量が大きい。重い石臼を廻しながら、何度もやり直す。ベストテイクを収録する頃、彼の額からは汗が吹き出ていた。

「もう少しゆっくり、石臼を廻しましょうか」

彼自身も、理想とする音の世界があるようだ。響きのイメージに近づけるため、手の持ち方や動かし方に工夫を重ねていく。楽器をさわるように、石臼の音を聞き、手の動きを変えていく。この行為こそ、まさに演奏表現だ。

「演奏すること」を英語にすると「play」である。playはそもそも「遊び」の意味だ。極論をいえば、演奏は遊びである。やらされてるのではなく、楽しみながら音を奏でる表現。それが演奏だ。彼を見ていると、演奏行為の根源を見ているようだった。

当日収録した音は、竈(かまど)、脱穀機、銅鐸(どうたく)であった。特に面白かったのが、銅鐸の音。見た目よりもお茶目な音が鳴る。大発見だ。歴史の教科書で見かけることはあっても、実際に音を出した人は少ない。後日、藤織りを手がける知り合いに声をかけ、糸車と木製織機の音を自宅まで行って収録させてもらった。二日間で収録した音は、合計二〇種類。

前意識的な即興アプローチ

後日、収録した音を聞き直し、イメージを膨らませる。環境音楽を制作する極意は「前意識」だ。環境音楽は、前意識に届ける音の刺激である。音楽に対する表現欲や創作欲はあってもよいが、それらの意識を前面に出さないこと。

吉野氏が石臼を廻す姿は、環境音楽づくりの極意に通ずる。作曲行為は、楽譜を使って構築的に音の世界を生み出すことが多い。演奏行為は——楽譜を使うことがほとんどだが——演奏者の解釈で音の響きを新たに生み出すこと。既存の楽器を使わなくても、身近にある音の出る物をさわるのも立派な演奏行為であり、環境音楽づくりに近い。目的的でないからこそ、前意識にうまく届く響きが生み出されるのである。即興アプローチだ。

ぼくも遊びの延長の気分で録音物を聞き、メロディをつくりはじめた。録音物の音量・リズム・速度・音色・文脈に心を配りながら、立ち現れてくる音楽の響きに耳を傾けた。録音物が素朴な響きだったので、グランドピアノではなく、懐かしい響きのアップライトピアノを採用した。

音源の構造は、常に変化が必要である。環境音がずっと鳴ると、耳障りになったり、慣れで飽きられてしまったりする。それを避けるため、環境音を適宜登場させたり、引っ込めたりする。一曲が三分前後で、一曲の中でも環境音が小刻みに登場する。軽快なテンポが生まれ、館内におだやかな動きが循環しはじめる。このテンポ感は、展示を見る来館者の動線にもうまく影響しそうだ。

ついに、環境音楽が完成した。館の特別展（海の京都「大海原に夢を求めて」）に合わせて、二〇一五年一〇〜一一月のうちの六週間にわたり、第二展示室で静かに流すことになった。吉野氏は、環境音楽の再生に細心の注意を払った。展示を集中して鑑賞するときには聞こえにくく、集中力が切れたときに耳に入る音量の調整を試みた。

来館者の反応

来館者の反応を見るために、意識調査を実施した。六週間で三七名が回答。館内の不快な音には、「話し声」「靴の音」といった人が出す音を挙げていた。環境音楽に気づいた人は九四%で、環境音楽の中にある環境音に気づいた人は四七%いた。環境音楽と展示が調和していると答えた人は八九%。環境音楽が必要と感じた人は八六%もいた。「落ち着いた気持ちでゆっくり見学できる」「無音だと緊張する」「知らない人がいるときの気まずさを和ませる」「耳障りな話し声や靴の音を目立たなくさせる」などの回答があった。環境音楽が館内に安らぎを与え、静寂による閉塞感を抑え、人の動作音がもたらす不快感をマスキングしていることが確かめられた。

改善点としては、「もう少し小さい音がよい」「低めのキーの方が落ち着く」「リピートされるとメロディが頭に残りやすい」という意見があった。資料館をはじめとしたミュージアムでの環境音楽は、過剰な演出効果を抑え、館内の音環境の不快感を低減させることが最優先だ。今回の音デザインを「好意的」に捉える人が多く、ホッとした。

技師との良好な連携

あらためて、吉野氏に話を伺った。

「当館のような静かすぎる空間ですと、音がないことで緊張感が増します。自分の出す音が気になるので、館内に環境音楽を入れたことは大きな効果がありました。これまで館では、お祭りの音をビデオ再生で流すことはありましたが、音楽は使いませんでした。音楽を使う場合は、必然性が重要です。文脈に合わない音楽を流せば、場に違和感が生まれるからです。館の文脈に見合う環境音を素材にした環境音楽の制作は、斬新な発想です。ピアノの音色と環境音がマッチし、お互いのよさを生かしています。音源が自然音に近いものに感じます」

当初の提案からともに歩んできた手応えが、話から伝わってきた。彼が特に注意を払ったのは、再生音量だ。来館者は、音源再生の六〇分間ずっと音源を集中して聞き続けているわけではない。展示に集中していると、音楽が聞こえなくなる瞬間がある。不意に音楽が耳に入るタイミングを意識し、その瞬間に心地よく音楽を聞ける音量を設定したという。展示に疲れて集中力が途切れる頃に環境音楽が意識に入れば、耳で休憩しているような心理的効果が生まれる。この聞き方が、まさに前意識的なのだ。

彼のコミットメントによって、環境音楽の適切な再生環境が実現できた。音源はつくったら終わりではない。その後のマネージメントを含めた連携が重要である。

一人で活動する意義

このプロジェクトにかかわらず、ぼくは音のデザインを基本全部一人でやっている。一般的な企業体や組織で行われるプロジェクトは、分業化が進んでいる。全部一人でやる方法は、時代錯誤かもしれない。分業化を進めることは、メッセージやコンテンツの深さをなくすことになる。自分の純粋な想いや、自分一人で持ち合わせる熱量は、分業を推し進めると、どんどん薄められていく。

この状況を避けるために、企画者・渉外役・リサーチャー・収録クルー・作曲・演奏・録音・ミックス・マスタリングなどの作業を、全部一人でやっている。一言でいえば、「圧倒的なリアルさ」を生み出すこと。分業しないメリットは、現場の生の感覚や手応えを、正確なカタチでデザインに落とし込めることだ。実践→評価→再検証といった段階を、短時間でフィードバックさせやすい。しかも当館のプロジェクトは、小さい公共施設だからこそ、意思決定がスムーズに速く進められたことが奏功した。

音や音楽の世界をプライベートに創造する行為は、一人が基本である。その手応えがあってこそ、場所に集う人たちの個人的な想いに音がシンクロし、大きな一体感が生まれる。丹後郷土資料館での音プロジェクトから、ものづくりの原点をあらためて感じることができた。

吉野氏と故郷の音風景に感謝したい。

詳細情報・

京都府立丹後郷土資料館

【音によるリノベーション】

所在地	京都府宮津市国分小字天王山611−1
制作	2015年5月〜9月
会期	2015年10月10日〜11月29日 （海の京都・特別展「大海原に夢を求めて――丹後の廻船と北前船」）
音源アルバム	『キョウトアンビエンス 3 〜ピアノと丹後の音風景〜』
楽曲コンセプト	・館内の静寂感をマスキングさせる音楽 ・体感的に展示を楽しめる音楽 ・丹後の生活にまつわる環境音を再現する音楽
楽曲の特徴	・館内の静かすぎる違和感を緩和する賑わい効果 ・会話や足音をマスキングする効果 ・館内の静けさを耳でなごませるリラックス効果 ・音から視覚展示の体感性を高める視聴覚相互作用効果
アルバム	『キョウトアンビエンス3 〜ピアノと丹後の音風景〜』（ダイジェスト版）（2016年） https://youtu.be/4Wc-hcAtNho –

Feedback

魔法がかかったような音楽

丹後郷土資料館技師（当時）　吉野健一さん

スーパーやレストラン、観光施設などでは、何かしら音楽が流れ、静まり返っているということは、あまりありません。一方で、図書館や講義室などでは、音楽が流されることは少なく、むしろ忌避されるものでしょう。お客さんがたくさんいてワイワイしている状態では音楽も気になりませんが、例えば読書をする場所で、軽快なJ-POPが流れてきたら、その集中力も途切れてしまいます。

では、博物館で展示品を鑑賞する際のBGMは必要なのでしょうか。お客さんが多いという環境を重視すれば、流れていても違和感はなさそうです。一方、集中して鑑賞する点を重視すれば、図書館に近く、ない方がよいという意見も理解できます。

そんなことを漠然と考えていたとき、小松さんが来られ、環境音楽についての提案をいただきました。私はとても面白いと思い、ぜひ一緒にやりましょうと、すぐお答えしました。

私自身には、環境音楽を展示室に流すという発想はありませんでした。環境音楽と伺って例えば歌や、クラシックなどとは考えていましたが、丹後の人びとの周りにあった音、それもおそらく聞いているという認識すらないような日常的な音を、音楽として取り入れてまとめていただけるということで、丹後だけの音楽になる、面白い試みになると心が弾みました。

真夏の音の録音は大変でしたが、こんな生活音がどんな音楽に変わるのだろう……。完成して小松さんからいただいた音源は、魔法がかかったかのような音楽に変わっていました。過度に主張しない、音に包み込まれたら流れていることも忘れてしまいそう。そんな抱擁感がある音楽でした。これなら展示にも必ず合うはずだと確信しました。

こうして展示期間中ずっと展示室に音楽を流しました。さまざまなご意見があったものの、肯定的なものが多く、リラックスして展示を見ることができた、という意見は準備した側としては狙い通りでした。丹後の人びとの周りにあった音からできた音楽により、茶の間でお茶を飲むときのような落ち着いた感覚で、しかも、音楽を聞いているという認識もあまりなく展示を見ていただけたことは、観光施設と図書館の、それぞれ異なる方向性の音楽に対するあり方を融合する、新たな音楽の誕生へとつながっていくように感じました。

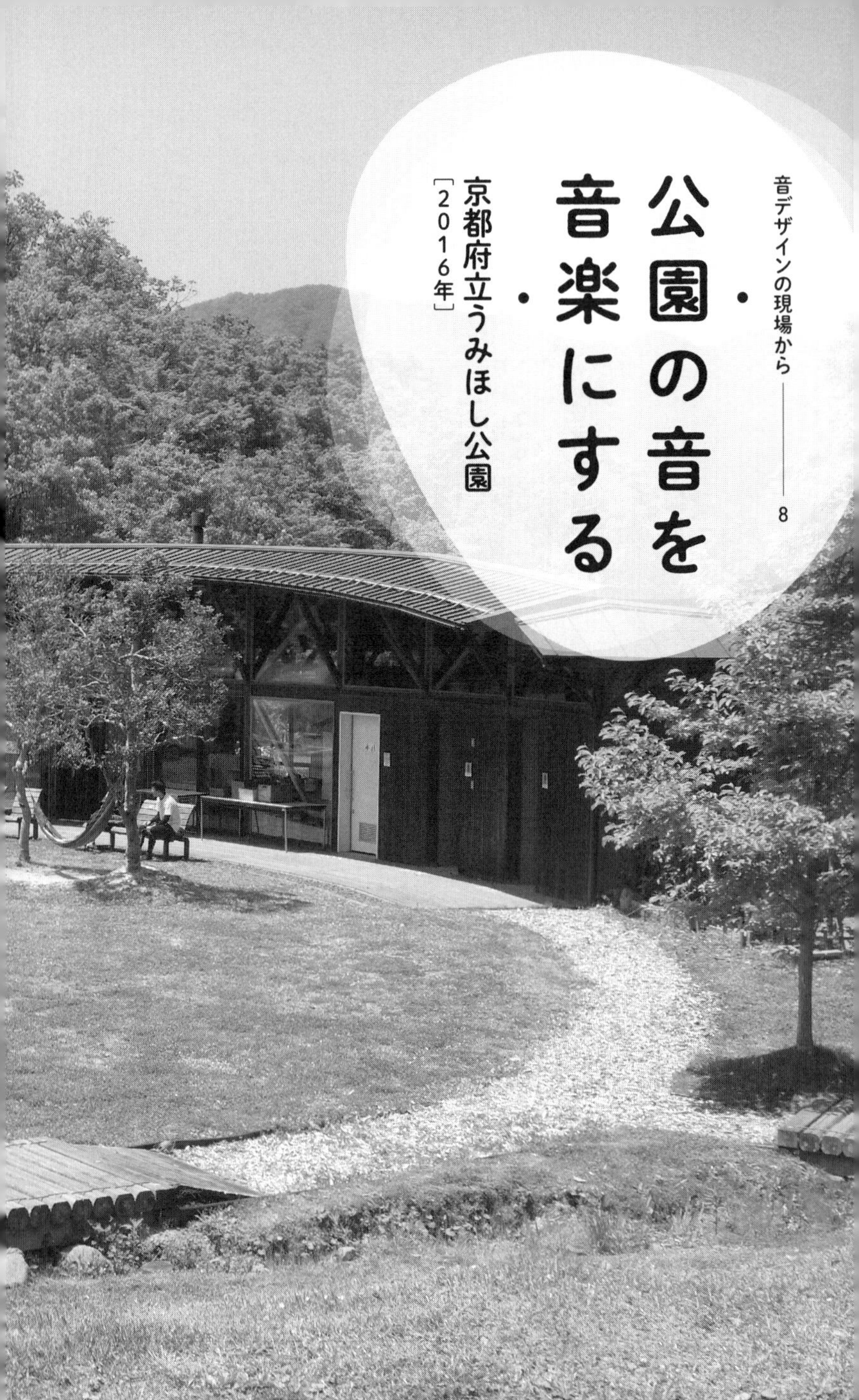

音デザインの現場から——8

公園の音を・音楽にする・

京都府立うみほし公園
［2016年］

森と海の音が同時に聞こえる

森と海はつながっている。

頭でわかってはいるけれど、実感するのは難しい。うみほし公園では、森と海の響きが同時に届く。両者の響きが共鳴するスポットは、日本海が見える園内の森の高台。耳をすます。森からは、野鳥と樹木の葉擦れ音。海からは、漁船のエンジン音や海鳥の声が立ち昇る。遠近の音がほどよくミックスされ、空間の奥行きが広がる。

うみほし公園（京都府立丹後海と星の見える丘公園）は、二〇〇六年八月に開園した。「自然との共生」「手づくり」「環境育成の体験フィールド」をテーマに運営されている。公園の地名にある「里波見（さとはみ）」は、里山から海の波が見える地形を意味している。

公園面積は、約一四三ヘクタール。豊かな自然と美しい眺望に恵まれる。園内には、研修室や宿泊施設、カフェなどの施設がある。当初この場所は、丹後リゾート計画の一つとして、ショッピングモールなどの商業施設ができる予定だった。計画が頓挫し、エコパークの位置づけで再始動。うみほし公園が誕生した。園内には自然音が豊富にあり、季節や時間帯によって音が変わる。

音のフィールドワークの方法

音のフィールドワークでは、音に名前をつけることが求められる。音の名前を整理するには、バーニー・クラウスが提唱する「ジオフォニー（geophony：非生物による自然音／地形由来の音）」「バイオフォニー（biophony：人間以外の野生生物音／生物由来の音）」「アンソロフォニー（anthrophony：人間が出している音／人工音）」の三項目の分類法が便利である。

うみほし公園では、ジオフォニーとバイオフォニーが圧倒的に多い。ジオフォニーは、川の音や海の音。バイオフォニーは、鳥の鳴き声や葉擦れ音。アンソロフォニーは、人の声や車の音、遠くからの漁船の音。

三グループの音がバランスよく聞こえるから、園内の音環境に魅力を感じるのだ。アンバランスな場所の典型は、都会。人間が生み出す人工音ばかりが聞かれ、心の落ち着く暇がない。音の種類が少なく、無変化に感じられるのが、都会の人工空間である。

建物の、静けさ問題

環境音のアンバランス問題は、うみほし公園にもある。園の中心に位置するセミナーハウスは、木造風の現代建築。自動ドアが開いた瞬間、館内はしんとしている。音がないので居心地の悪さが生まれ、入るのに戸惑う。外が自然音で満たされているだけに、館内がよけいに静かだ。現代の建物環境は密閉性が増し、静けさ問題が増えている。当園から環境音楽制作の依頼があったのも、それが一因だった。

二〇一五年一〇月、当園スタッフたちは丹後郷土資料館（本書九八頁）で導入した環境音楽を体験し、うみほし公園にもこの音源を流したいと伝えてきた。せっかくだから当園オリジナルの音源をつくっては、と逆提案した。とてもよろこんでくれた。

当園は、園内のリアルな自然環境を心身で感じることを目標にしている。音の取り組みで考えれば、音の出る遊具を制作することや、環境教育での音感受活動など、多様な方法がありそうだ。そんな話をしていたら、毎年春に開催される環境イベント「アースディ丹後」で、野外でのピアノ演奏の依頼がきた。その後二〇一六年五月、同年八月の開園一〇周年に向けて、環境音楽制作プロジェクトが正式に始動した。

環境音を採取する

環境音楽制作のカギを握るのは、素材音の採取である。録音ではなく採取という表現が、うみほし公園らしさ。野や森の動植物の恵みをいただく感覚で、素材音を採取する。三ヶ月間の音のフィールドワークが始まった。

最初は五月中旬。鳥の鳴き声が発生しやすい繁殖期を目がけ、現地入りした。鳥の鳴き声が聞けるベストポイントをスタッフに案内してもらった。園内の動植物一つひとつに友達のような接し方をするスタッフ。湿地帯で鳥の声をベストコンディションで採取できた。

続いては、五月下旬の田植えのタイミング。子どもたちが園近くの地元で田植えをする賑わいが採取できた。田植えが終わった直後、集合写真を撮る瞬間に「ピース」のかけ声が響きわたった。宮津高校のフィールド探求同好会（当時）の生徒たちにも遭遇し、近くの海に出かけて波音を採取した。

最後は七月。うみほし公園らしさが表れる「橋立風鈴」と「手箒」の音を採取した。どちらも竹の素材でできている。竹同士が風で当たる軽やかな響きや、竹の枝が地面に触れるときのソフトな響きが採取できた。

スローリスニングのススメ

フィールドレコーディング（野外録音）は、スローリスニング（音をゆっくり聞くこと）につながる。録音する行為は、全身を耳にし、心身を空間に没入させる時間である。録音後、音を聞き直す作業も、耳の効果的なトレーニングだ。実際に録音した音と、現場で音を聞いていた記憶を重ね合わせる行為は、メタ認知そのもの。メタ認知とは、自分の存在を相対化させて客観的に捉え直す行為である。音をきっかけにして、セルフモニタリング（自己認識）する状態ともいえる。

空間に調和しやすい音源をつくるためには、二つの準備が必要だ。一つは、自分の耳を開き、聞く感度を上げること。もう一つは、空間の音をゆっくり味わい尽くすこと。前者は「耳のトレーニング」で、後者は「スローリスニング」である。

音の響きは、脳のワーキングメモリ（短時間に保持できる情報処理の記憶量）に取り込まれる。意外に容量が小さいので、音の響きは記憶に残りづらい。響きの記憶を頭に留めておくために、スローリスニングが必須なのだ。

音源の制作は繊細な表現行為。音の響きを正確な記憶として定着させることが重要である。音のイメージを記憶からすぐに取り出せることができれば、申し分ない。

うみほし公園の環境音楽

今回の音源制作も、大きな試練だった。ピアノソロではなく、アンサンブル形式にしたからだ。幅広い年齢層の来園者に受け入れられ、園の躍動感を楽曲に反映させるには、ピアノだけでは物足りない。リズミカルかつ多様な音色を備えた編曲の必要性に迫られた。

収録した環境音を聞きながら、最初はピアノだけで楽曲の骨組みをつくる。ドラムやパーカッションのリズムトラック、楽曲を支えるベーストラック、音の空間を満たすパッドトラックをPC上の打ち込み演奏で重ねていく。全トラックを打ち込んだ後は、音量と音質の細かな調整。ピアノのパートを「歌物＝ボーカル」として仕上げるのが最適というアドバイスを専門家から受けた。試行錯誤の末、一四の楽曲が無事完成した。

二〇一六年八月一日がやってきた。うみほし公園の開園一〇周年当日だ。記念すべきセレモニーの中で、できたてホヤホヤの数曲を演奏した。スタッフをはじめ、参加者の人たちと音でつながった。「笑顔」という曲も披露した。会場内がまさに笑顔に包まれていた。

完成した環境音楽は、セミナーハウスの入口付近と、森のカフェ店内で活用されている。

アンケートの内容

楽曲に対する来場者の意識を調べた。セミナーハウス利用者を対象に、アンケート調査を行った。合計で三四人の協力を得た。

属性については、男女ともに約半数ずつ。年齢層は、四〇歳代が四六％と最も多かった。居住地は近隣地域が多かった。来園人数は五人以上が四〇％を超えており、団体利用が多い。来園回数は、一〇回以上が一二％近くいて、リピーターの多いことがわかった。

好きな音の大半は、自然音（虫・鳥など）、嫌いな音の大半は人工音（クーラー・工事音など）であった。来園者の半数近くが、環境音楽の存在に気づき、多くがセミナーハウスで聞いていた。音楽が園と調和すると感じた人は、五七％であった。

環境音楽を必要と回答した人が八六％、不要が八％であった。必要な理由としては、「音楽があると楽しくなる」「ゆったりした感じを出すために必要」。不要な理由としては、「自然の音だけで十分」「自然そのものを感じていたい」との内容だった。自然音豊かな空間に環境音楽を入れることは、プラス面とマイナス面の両方あることがわかった。

清水氏へのヒアリング

環境音楽が現場に馴染みはじめた二〇一六年一一月。当園事務局の清水睦（しみずむつみ）氏に、音源導入前後の状況を話してもらった。

「音源制作を依頼した最初のきっかけは、丹後郷土資料館の音楽をつくられたことです。せっかくなら当園専用音楽があればと感じました。もう一つは、セミナーハウス館内が静かなことです。お客さまが入りづらいので、楽しく歓迎する雰囲気を音でつくりたかったのです。気軽に入れるオープンなスペースになればと願い、音楽の導入を決めました」

前回制作した丹後郷土資料館での環境音楽が呼び水となり、今回の縁が生まれたことを実感するコメントである。音活動を継続することの大切さが実感できた。

「試作音源を聞いた第一印象は、当園にピッタリで楽しいイメージでした。スタッフの中には、曲名や歌詞をつける人もいました。音源が一方的に完成した感じはなく、自分たちの要望を吸い上げてもらった手応えがあります」

単に音源が空間に納品されたという無機質なプロセスではなく、互いのコミットメントが、長期にわたって継続できたことが伝わってくる。

「朝来たら、いつのまにか曲が流れていて、エンドレスでループしています。音がなくなると寂しくなるので、誰ともなく再生ボタンを押すような感じです。音があっても邪魔になりません。今後さらに、笑顔あふれる場所になれたらいいな、と思っています」

清水氏の話から、互いの想いを伝えながら音源制作が進み、完成音源が現場で使われ、空間に馴染んでいく様子が伝わってきた。

オーダーメイドの環境音楽

現実的には、既存曲を公共空間で使わざるをえない場合が多くある。オーダーメイドで音楽をつくることとは、時間・手間・予算を要するからだ。とはいえ、公共空間の現場は多様な特徴と用途がある。既存のBGMだけでは、空間にマッチしきれない場合もある。

今回、事務所のスタッフルームで幾度となく、本音を語り合った。そんな信頼感が、今回のプロジェクトの根底に流れ、音源のクオリティに反映されているのではないか。音源を一方的につくるだけでは、自己満足に終わる。完成にたどりつく過程を、スタッフたちといかに共有するか。そこに、環境音楽の存在意義がある。理由は、音や音楽は人の心（内面）で感じ、伝え、分かち合うものだからである。

極論をいえば、完成した音源よりも、ともに歩んできた経験やプロセスの方が重要だ。空間とともにある音楽の存在意義は、制作プロセスそのものにある。完成音源の姿は幾通りもある。一方、ともに歩んできたプロセスは、交換不能だ。うみほし公園での音プロジェクトで、場所に根ざした音源づくりの重要性と手応えを掴むことができた。

音を仲立ちにして、互いの想いと空間がつながったうみほし公園の奇跡に感謝したい。

詳細情報 ・ 京都府立丹後海と星の見える丘公園
【音によるリノベーション】

所在地	京都府宮津市里波見
制作	2016年5月〜8月
音源アルバム	『パークアンビエンス 〜うみほし公園のためのピアノアンサンブル〜』
楽曲コンセプト	・セミナーハウスの静寂感をやわらげる音楽 ・園を利用する幅広い年齢層に対応する音楽 ・園の各種イベント場面で活用しやすい音楽
楽曲の特徴	・親しみのあるピアノの音色を主体 ・明るめの音色の楽器 （スティルドラムや明るめのストリングスなどを導入） ・アップテンポの曲（BPM120〜140程度）を多用 ・現場の音資源を施設内でも感じてもらえる工夫 （自然環境音や人が出す音を導入） ・当園の環境を彷彿させる曲名をスタッフとともに考案
楽曲	「パークアンビエンス」（2016年） https://youtu.be/HPNyeTODHIg —

Feedback

公園になくてはならない音風景

特定非営利活動法人地球デザインスクール事務局長　清水睦さん

二〇一五年秋、これまでにイベントでのピアノ演奏依頼などを通してゆるやかなつながりがあった小松先生から、「丹後郷土資料館の館内音楽を制作したので現地で聞いてみてほしい」とのお話を受け、公園スタッフと一緒に資料館におじゃましました。「うみほし公園でも流しちゃだめかな」「公園にも音楽があるといいな」という声を小松先生にお届けしたところから、うみほしプロジェクトが動きはじめました。

丹後海と星の見える丘公園（うみほし公園）は、名前のとおり海を見下ろす小高い丘にある公園です。自然の中にあり、喧騒とは無縁の場所ですが、セミナーハウスに人が訪れたときに、静かすぎることによる居心地の悪さを、来園者、スタッフ双方が感じていました。

小松先生の「資料館の音楽を使うのもかまわないが、公園の中にある音を使ってオリジナルサウンドをつくろうか」という予想を超える返信に、スタッフ一同歓声をあげたことを思い出します。

二〇一六年八月一日は、公園開園一〇年の記念すべき日。この日のお披露目にむけて、スタッフへのヒアリング、その後一緒にフィールドを歩いての音の採取。当初の予定では数曲のオリジナルサウンドだったはずが、なんとアルバムができるほどの数を制作いただきました。デモ版を聞きながら想像して題名をつけたり、歌詞をつけてみたりして楽しんだこともありました。

完成から三年になりますが、お客様をお迎えするセミナーハウスのエントランスでは毎日、開園時間中ずっと、アルバム『パークアンビエンス』が流れています。スタッフは三年間聞き続けていますが、嫌にならないし、飽きないし、それどころか『パークアンビエンス』がないとその静けさを不自然に感じてしまうぐらいです。

パンフレットを手に取ったり展示物を見たりするのではなく、立ち止まっていらっしゃるお客様にお声かけすると、「この音楽、いいなと思って聞いていました」とおっしゃられたこと、体験活動で公園に来た小学生が、後日、「このCDがほしくて来ました」とおこづかいを持って保護者と一緒にやってきたこともありました。

自然に耳から入って、心に染み入る『パークアンビエンス』、公園にはなくてはならない音風景です。

音デザインの現場から——9

鉄道のサウンドブランディング

京都丹後鉄道［2017年］

II　音が変わると空間も変わる——音デザインの現場から

鉄道のサウンドブランディング

京都丹後鉄道

（清水哲郎撮影）

丹鉄スタッフとの出逢い

音は記憶と結びつき、想定外の感情を引き起こす。

サウンドブランディングという手法がある。音と記憶のつながりを活用し、会社や商品のイメージをユーザーに強く形成させるマーケティングのやり方だ。

今回手がけたのは、鉄道空間のサウンドブランディング。鉄道ファンで音楽好きなぼくにとって、両者のコラボは長年の夢だった。

念じれば、奇跡が訪れる。二〇一五年五月、うみほし公園（本書一一二頁）の野外でピアノ演奏を終えた直後、駆け寄る人がいた。

「丹後くろまつ号の車内BGMをつくってくれませんか」

動揺した。うれしくて、言葉に詰まった。京都丹後鉄道（略称「丹鉄」）のスタッフだった。ピアノ演奏に心が動き、声をかけたという。思いがけず、丹鉄本社で打ち合わせする縁が舞い降りてきた。

以前からぼくは、北近畿タンゴ鉄道（当時）に駅メロ（駅メロディのことで、列車の到着時と発車時に鳴らされる短い音サイン）を導入したいと思っていた。二〇一三年、試作音源と企画書を渡したが、実現には至らなかった。二〇一五年、北近畿タンゴ鉄道は経営体制が刷新され、京都丹後鉄道（通称「丹鉄」）となった。丹後くろまつ号とは、その丹鉄沿線を走る豪華なレストラン列車である。

今回の依頼は、丹後くろまつ号車内の背景音楽制作。しかし正直なところ、ぼくは駅空間や沿線地域にまで対象を広げたいと切望していた。

丹鉄の代表取締役である寒竹聖一（かんたけせいいち）氏と意見を交わすことになった。寒竹氏は秀逸なアイデアマン。新生した丹鉄の魅力を引き上げる策を数々打ち出してきた。

路線につけられたキャッチフレーズもその一つだ。丹鉄は三路線あり、宮舞線は『海鉄』、宮福線は『霧鉄』、宮豊線は『花鉄』。沿線の魅力を引き出し、地元住民には地域の足として、観光客には異文化体験としての利用を想定し、作曲した。

サウンドブランディングの実際

風光明媚な丹後地域を走る丹鉄。その魅力を「音」で引き立てたい。「人にやさしく、丹鉄らしい音づくり」というコンセプトを掲げた。地元住民には親しみやすさや安心感を、観光客には丹後の魅力を音で演出することを考えた。

地元住民にとっては、駅舎での待ち時間が長い。列車待ちの退屈さを紛らわせる音を演出したい。これが「人にやさしい」音デザイン。観光客には、丹後の異文化を聴覚的にイメージしてもらうことを想定した。これが「丹鉄らしい」音デザイン。

ジョエル・ベッカーマンらは、サウンドブランディングを構築する上で、三つの考え方を提唱する。一つ目は「アンセム」。テーマ曲を意味し、ストーリー性を伝える訴求力を持つ。二つ目は「ソニックロゴ」。アンセムを短くした音で、アンセムのストーリーを短時間で効果的に想起させる。三つ目は「ブームモーメント」。場にふさわしい音が、ちょうどいいタイミングで聞こえること。アンセムやソニックロゴがタイミングよく鳴れば、伝えたいストーリーが一瞬にしてユーザーに伝わる。

丹鉄のサウンドブランディングには、アンセムの形成が不可欠だ。三路線（「宮舞線＝海鉄」「宮福線＝霧鉄」「宮豊線＝花鉄」）と、「丹後くろまつ号」をイメージした四アンセムを、一筆書きのように作曲した。

基本アンセムは、ピアノソロ。それをもとに、「アンサンブル曲」と「琴曲」をアレンジした。各アンセムの一部を抜粋し、統一感あるソニックロゴ（駅メロ）も作成。列車入線時に注意を促す「接近メロディ」、発車直前に流す「発車メロディ」もつくった。駅メロは再生回数が多い音源だ。ソニックロゴである駅メロは、列車が到着／発車する寸前に流される。その瞬間は、まさにブームモーメントであり、丹鉄のブランド体験が広がる可能性を秘めている。

音をどこで流すか

丹鉄線内で環境音楽が流れている現場は、宮津・天橋立の二駅と丹後くろまつ号の一列車。

宮津駅では、駅ホーム・待合室・入口付近に、アンセムである環境音楽八曲を候補にした（ピアノ曲が四曲、アンサンブル曲が四曲）。三路線の起点となる駅なので、賑わい感の出る曲を中心に選曲した。

天橋立駅でも、駅ホーム・待合室・入口付近に、環境音楽六曲を候補にした。日本三景・天橋立を訪れる観光客は多い。神話の聖地に誘うように、琴によるアンセム四曲と、幻想的な音色を施した即興曲を二曲選んだ。

列車への環境音楽導入は、丹後くろまつ号が対象だ。車窓の眺めとともに、地元食材による特別料理をじっくり味わう空間。丹後の風情に誘い、旅心をかき立てるアンセムをつくり、三バリエーションの音源を制作した。ぼくの既存曲もいくつかセレクト。海の京都を走るダイニングルームにふさわしい雰囲気を、音から演出している。

駅メロの現場は三駅（宮津駅・天橋立駅・福知山駅の各ホーム）。駅メロ制作には、機能性と演出性の二要素をバランスよくミックスする塩梅が求められる。前者は、危険回避を知らせる音サインの役割。後者は地域性やキャラクター性を与える役割。六音源を完成させた。

駅メロ音源は、三路線のアンセムの一部分をソニックロゴとして切り取った。路線ごとに共通したサウンドブランディングの形成を試みたのである。「接近メロディ（二〇秒のループ音源）」と「発車メロディ（一〇秒の単独音源）」の聴感が統一するように配慮した。両方とも注意喚起のしやすい鋭い音色を用い、強弱あるリズム構成にした。発車メロディは、発車寸前の注意を知覚させるため、擬終止形の和声で締めくくった。

導入寸前の微調整

モノヅクリの最終段階は、細部を徹底的に詰めること。二〇一七年四月一日の全音源導入を控え、調整は佳境に入った。寒竹氏と列車の運営を担うスタッフとともに、最終ミーティングを行ったときのこと。

「試作の駅メロ音源は、繊細ですね。イメージを損なわず、もっと注意喚起できませんか」

ぼくが想定していた塩梅と現場の判断には、若干のズレがあった。それをいかに一致させるかが腕の見せどころ。

当初、駅メロをすべての駅に導入したいと考えていた。ところが、再生困難な駅が相当数あるという。現場の音響機器を生かす運営を考慮した結果、三駅（宮津・天橋立・福知山）に駅メロを導入することが決まった。

「接近メロディが三つもあると、現場が混乱しますね。思い切って、一つに絞ってみてはいかがでしょうか」

運行を統括するスタッフからの提案だ。駅メロを再生する操作を、混乱なくシンプルに。記憶に残りやすくもするアイデアだ。バリエーション豊富な音源ばかりを考えていたので、意外だった。「海鉄」のソニックロゴを、全ホームの接近メロディに採用することになった。

発車メロディについては、豊岡方面行きは「花鉄」、西舞鶴方面行きは「海鉄」、福知山方面行きは「霧鉄」を採用。メロディの種類によって、行き先が自ずとわかる。

最後に調整の追い打ちをかけたのが、音量である。マスタリング（音質の最終調整）の段階では、ピーク値にほぼ近い音量（マイナス〇・一デシベル）で調整していた。音源データを音響機器で現場再生すると、音量がかなり大きい。タイムリミット間際だったが、全駅メロの音量を下げて再調整し、事なきを得た。

運用開始後の利用者アンケート

二〇一七年四月一日、丹鉄サウンドブランディングが始動した。鉄道空間のトータルなサウンドブランディングは、本件が世界初のプロジェクトである。運用開始後、宮津駅と天橋立駅に向かった。

駅メロの音色を鋭くしたおかげで、列車のディーゼルエンジン音にマスキングされず、しっかり耳に届く。寒竹氏の音の読みが当たった。環境音楽はほのかな音量で流れ、駅舎の空間にマッチしている。音の鳴りに間違いのないことを確認し、胸をなで下ろした。

二〇一七年の七~九月にかけて、利用者の意識調査を行った。宮津駅と天橋立駅の改札口付近に用紙を置いた。質問内容は、駅メロと環境音楽の評価である。回収数は一〇〇。

回答者の属性は男性が六割以上で、四〇歳代が最も多かった。京都府内の居住者が半数近くで、府外では兵庫県が多かった。利用頻度は、はじめての人が四割いた。観光目的の利用が六割以上を占めていた。

駅メロについては、存在に気づいた人が九割もいた。接近メロディと発車メロディを判別できた人は、半数に満たなかった。注意喚起に感じた人が七割程度、駅の雰囲気に合っていると感じた人も七割程度いた。九割以上が駅メロの必要性を感じていた。

「鉄道の印象が記憶に残る」「丹鉄に乗車したことが思い出される」「丹鉄メロディをよく口にする」といった、音が鉄道利用の記憶に結びつく感想がみられた。

「子どもと駅で流れる音楽を聞くと、幸せな気分になる」「五歳の子どもがいつのまにか口ずさんでいた」といった親子の絆を感じるコメントもあり、本プロジェクトが地域に馴染みつつあることを実感した。

環境音楽については、気づいた人は半数近くいた。おだやかになると感じる人も半数近くいた。駅の雰囲気に「合うか、やや合う」と感じた人は七割近くいた。楽しみに感じる人は四割強だった。環境音楽がおおむね受け入れられたことが確認された。

「待ち時間が長いため、気晴らしになる」「待ち時間が楽しみになる」「なくなると無機質になる」といった感想もあり、列車待ちの退屈さを緩和させていることもわかった。

スタッフへの聞き取り

「霧鉄の駅メロ、とっても好きなんですよ。宮津駅の四番ホームでしか鳴らないからレアなんですけど。それが却っていいんです」

ホームで列車待ちをしていると、馴染みの駅員さんが声をかけてくれた。思わず駅メロを口ずさんでくれる大サービス。「ああ、音源が丹鉄に嫁いでいったな」という気持ちが込み上げてきた。他の丹鉄スタッフにも、感想を聞いてみた。

「丹鉄のおだやかな感じが、音楽で引き立てられている」「ベルよりも暖かい感じがするので、メロディがよい」「リラックスできる。音がないと殺伐とした雰囲気になる」のように、音源の導入で鉄道空間の雰囲気をやわらげている様子が窺えた。

「何度も耳にすることにより、どこのメロディか判別できる」「どこ行きの列車が出るのかがわかりやすい」といったように、駅メロと行き先が、セットで記憶されていることもわかった。

「沿線の学校の吹奏楽部に演奏してもらいたい」「波の音や丹後の生活音が曲に入っているので、海の京都の雰囲気が記憶に残りやすい」「首都圏の鉄道との差異化になる」のように、三路線のアンセムが持つ物語性が、強く伝わっていることも実感できた。

ストーリーテリングの重要性

サウンドブランディングの実現には、「ストーリーテリング（物語の効果を利用したプレゼン手法）」を構築することが重要だ。丹鉄らしさを知るために、スタッフや利用者から話を聞く。現場で音のフィールドワークを行い、音のエッセンスを抽出する。小さい頃から染みついた地域愛や鉄道愛があるからこそ、丹後の音を丹鉄空間に昇華できたのかもしれない。

音源を試作したときは、ぎこちなく聞こえていた。地元の天橋立駅でぼくが乗る列車が発車する瞬間、車内に駅メロが微かに漏れ聞こえてきた。その瞬間、音に見守られている感覚がした。音源と自分が、まるで融合するかのように。

鉄道空間は、人が出会い、新たな門出を願う場所。人生のキーポイントとなるタイミングに鳴り響く音がある。これこそが、未来を紡ぐ鉄道の音なのだ。

ぼくの手を離れた丹鉄の音が地域に溶け込み、今後も利用者の記憶に刻まれることを願いつつ。

詳細情報・京都丹後鉄道【サウンドブランディング】

所在地	京都府（宮津市・舞鶴市・与謝野町・京丹後市・福知山市）・兵庫県（豊岡市）
制作	2016年8月〜2017年3月（2017年4月1日始動）
音源アルバム	『丹鉄メロディ 〜京都丹後鉄道のサウンドブランディング〜』
楽曲コンセプト	・人にやさしく、丹鉄らしい音づくり ・風光明媚な沿線を持つ丹鉄の魅力を「音」で引き立たせる ・丹鉄の鉄道空間をトータルに演出
楽曲の特徴	・4つのテーマを、アンセム曲として作曲 ・アンセム曲を、3パターンにアレンジ（ピアノソロ、アンサンブル、琴） ・沿線の特徴的な音風景を素材に使用 ・駅メロディは3路線ごとに制作し、アンセムを抜粋
発売箇所	・京都丹後鉄道オンラインショップ『WILLER TRAINS SHOP——114km selection』https://shop.trains.willer.co.jp/ ・京都丹後鉄道観光列車車内（丹後くろまつ号、丹後あかまつ号、丹後あおまつ号）
発売価格	2,200円（税込）
4つの楽曲	「海鉄」「霧鉄」「花鉄」「黒松」（2017年） https://youtu.be/1NyScdjJuBw

Feedback

・丹鉄にふさわしい音楽づくり・

WILLER TRAINS株式会社京都丹後鉄道代表取締役　寒竹聖一さん

当時、私がこの京都丹後鉄道に着任した際、駅待合室、ホームは無音で殺風景な雰囲気を醸し出していました。突然ホームに響き渡るJRジングル音はお客様の緊張感をあおり、注意喚起を促す状況でした。都会にないぬくもりを持つ地方鉄道の京都丹後鉄道（丹鉄）にふさわしい環境をつくるにはどうすればよいか悩んでいたところ、地元の環境音楽家である小松先生に連絡を取らせていただいたのが、このメロディを導入するきっかけでした。

小松先生にはまず、「海鉄」「霧鉄」「花鉄」の取り組みを紹介させていただきました。「海鉄」は絶景の海岸線を走る鉄道、「霧鉄」は霧の出る幻想的な光景を走る鉄道、「花鉄」は沿線に地域の方々の協力でチューリップや芝桜を植えていただいたりと、それぞれここにしかない鉄道のキャッチフレーズです。

さらに、丹鉄は日本三景の天橋立に通じており、飛龍、昇龍と伝説のあるパワースポットです。

沿線の特色を聴覚にも訴えることができて、記憶にも残ることができないか。接近音や出発音も、強制ではなくお客様自ら自然と気づいてもらうことができないか。相談した内容は、環境音楽家の小松先生が得意とするところで、話はとんとん拍子に進みました。

できあがった待合室BGMは、丹後の聖地に誘い、天女や龍といった異界のようなイメージの楽曲で、耳からの疲れを抑えられるように配慮されています。

さらに、駅メロディは、宮舞線は海の、宮福線は霧の、宮豊線は花のイメージを持ち、一般の駅ジングル音の注意喚起の役割を果たしつつ、地理の特徴を耳から知らせる働きがあります。しかも発車メロディは曲の終わりを容易に感じ取ることができ、お客様へ自発的な列車の乗り込みを促す工夫がなされています。

「丹後くろまつ号」車内では、車窓の雰囲気や食事を引き立てる隠し味としての背景音楽ができあがりました。アテンダントの声の邪魔にならず、走行音にマスキングされない配慮もなされています。

今回、小松先生の音楽を導入することで、京都丹後鉄道に新たなイメージを与え、利用されるお客様にとって鉄道移動の新たな価値が創造できたと思っています。小松先生、どうもありがとうございました。

音デザインの現場から――10

患者とスタッフを元気に

耳原総合病院［2017年］

II

音が変わると空間も変わる——音デザインの現場から

患者とスタッフを元気に

耳原総合病院

ホスピタルアートがつなぐ縁

二〇一六年一月、耳原総合病院（大阪府堺市）のアートディレクターである室野愛子氏から連絡があった。病院の紹介動画の背景音楽に、ぼくの楽曲〈Life〉を使いたいという。これを機に縁が芽生え、耳原総合病院（以下、耳原病院）を視察することになった。

耳原病院では、ホスピタルアートを実施している。芸術の力を用いて、病院のネガティブな環境をポジティブに変える表現活動のこと。他院でも、院内での絵画展示や音楽演奏などの例がある。

当院では、医療空間の緊張感と不安をおだやかにするために、オーダーメイドで環境音楽を制作することになった。

ホスピタルアートが充実した院内

二〇一六年五月。耳原病院を訪れ、ホスピタルアートの現場を目の当たりにした。エントランスの天井には、大きなハート型モニュメントが吊されている。びっくりした。

「これもホスピタルアートの一つで、造形作家の作品『希望の芽』です」

と、室野氏。病院空間の暗いイメージが払拭されている。続いて案内されたのが、真新しい院内空間の壁面の数々。院内の随所に、淡い色彩で、鳥や樹、花の絵が広々と描かれている。

「エレベータ前の壁には、一四階すべてに大きな鳥を描写しました。基本デザインは私が構想しました。スタッフや患者、地域の人たちと共同で仕上げました」

室野氏は、いのちの現場に希望のあかりが届くことを願い、監督したという。院内には、地域交流ゾーンやラウンジ、自然食材を使うレストラン、情報発信や交流に利用されるホールなど、地域に開かれた病院の姿があった。

耳原病院が提供するホスピタルアートのクオリティに、ぼくは驚いた。病院特有の不安感や緊張感を、安心に変えてくれる力を感じた。

視覚から聴覚へのシフトアプローチ

病院長の奥村伸二氏と話をする機会に恵まれた。

「二〇一五年の新病院開設を機にホスピタルアートを導入しました。これからは音の分野も手がけたいのです」

院長自身、音楽に造詣が深い。

「音の側面から院内環境を改善することは、未知の可能性を感じます。理想の音楽は、前意識下に働きかけるものです。聞いてしまうわけでなく、かといって聞こえなくもない音楽の姿が理想です」

院内にすがすがしい音を提供することでイキイキした医療空間を生み出したいと、奥村氏は言う。

「スタッフの満足なくして、患者の満足はありません。スタッフを元気にさせる音があることで、病院全体が元気になるんです」

スタッフは日常の大部分を病院で過ごしている。院内の音環境が向上すれば、患者への接し方もおだやかになる。その波動は、患者の病状にも影響するだろう。

耳原総合病院の音環境

二〇一五年四月に新装した当院は、大規模の総合病院だ。一四階建で、のべ床面積三万平方メートル。三八六の病床数を持つ。年間のべ外来患者数は約一万二千人、年間のべ入院患者数は一万二千九〇〇人である（二〇一五年）。医師を含めた職員数は約八〇〇人。全国でも稀な専門のアートディレクターが勤務する。

急性期病院としての役割もあり、年間で六千台近い救急車がやってくる。多種多様な音がある。外来も病棟もおだやかに過ごせるかが課題となっている。

多くの人が行き交う音環境。スタッフ・患者・付き添い人がひっきりなしに出入りする。不特定多数の人が高密度に存在し、緊張感と不安感が漂う。院内環境に慣れない人にとっては、ネガティブな音の波に飲まれてしまう。

当院の視覚環境は、ホスピタルアートで充実している。ところが音になると、耳を塞ぎたくなってくる。何らかの意味を伝える音が多すぎるからだ。呼び出し放送やナースコールなど、音サインが頻繁に鳴り響き、話す内容までわかる会話が聞こえると、無意識に体が反応する。背景には既存の音楽配信サービスによるBGMが流されているが、院内にあまり調和していない。

緩和ケア病棟から待合室、検査室まで院内をくまなく聞いて回った。音の印象は、ネガティブな感覚だった。病院は、マイナスの空気をプラスに変える音楽を必要としている。ハードルの高い仕事だ。音のフィールドワークを細かく進め、問題の所在を見定めることにした。

院内の音フィールドワーク

二〇一六年八月の四日間、院内の四ケ所（一階外来診察待合・一階サポートセンター・八階病棟ディルーム・五階医局）で、音の計測を行った。全体的には、午前四時から八時までが四〇デシベル程度だったのが、受付開始の午前八時を過ぎると六〇デシベルに上がる。一二時を過ぎると待合は五〇デシベルに下がるものの、サポートセンターや病棟では六〇デシベルを下らない。院内のどこかで、何かしらの音が発生し続けている。

病棟ディルームでは、人の活動音が多い。一二時台、瞬間的に八〇デシベル程度になることもあった。医局ではスタッフの会話が多くを占め、コンピュータに関する音が多く発生する。サポートセンターでは、患者の入室時に会話などの声がよく聞かれる。待合室では、多くの人の会話やスタッフの音声、足音などが多い。至近距離で人の出す音がほとんどだ。

音サインも頻発する。ナースコール、内線電話の呼び出し、救急車のサイレンなど。院内には、意味を伝える音が多くを占め、疲労感が募る。

スタッフの音意識

二〇一六年七月、四一〇名の院内スタッフ（医師と職員）を対象にした音環境の意識調査を行った。院内で気になる音は、話し声や会話など人の出す声、ナースコールやアラームなどの音サインが挙げられた。現状の音楽配信（BGM）については、ほとんどのスタッフがネガティブな反応であった。「調和していない」「気づくのはいつも同じ音楽」「重くて暗い」「暗記するほど耳障り」「しんどくなる」などの否定的意見が多くあった。音のフィールドワークの印象と共通している。

院内専用の環境音楽については、半数以上が必要と認識していた。「個人のプライバシーに関わるやり取りが多いため、声をマスキングする音楽が必要」「病院は不安のある人やいらだっている人が集まる」「いのちの尊厳に配慮した音楽が必要」といった意見があった。「病院は緊張する場所。働く職員にやすらぎが必要。音楽の効果は大きい」のように、病院専用の環境音楽を期待する意見が多かった。

耳原総合病院サウンドプロジェクト・音観察リスト（No. 4 ）

観察者		平均値（LAeq）	47.8 dBA
観察場所	ERまちあい	最大値（LAmax）	62.4 dBA
観察年月日	2016 8. 19	最小値（LAmin）	35.0 dBA
観察時間帯	20:00－20:10	天候	雨

音の名前	詳細説明（誰が出した音？）	音量	頻度	好み
咳	患者	小	単発	なし
夜間当直の電話応待	スタッフ	小	断続	なし
足音	患者	小	単発	なし
自動ドアの音	スタッフ	中	単発	なし
話し声	患者	小	単発	なし
問診の声	Pt＋スタッフ	中	持続	なし
足音	スタッフ	中	断続	なし
話し声	患者	小	断続	なし
診察の呼び声	スタッフ	小	単発	なし
◎夜間受付の話し声	〃	中	断続	嫌い
椅子にすわる音	患者	小	単発	なし
カバンを開ける音	〃	小	単発	なし
診察の呼び込み	スタッフ	中	単発	なし
問診の声	Pt＋スタッフ	中	断続	なし
赤ちゃんの泣き声	患者	中	断続	嫌い
面会終了の放送（滝沢さんの声）	スタッフ	大	断続	なし
赤ちゃんの声	患者	中	断続	なし
夜間受付の声	スタッフ	中	断続	嫌い
かさのビニールをする音	患者	小	単発	なし
スタッフの診療説明	スタッフ	中	断続	なし

他の患者が聞こえる環境はどうかと思う。

病院にマッチする環境音楽の姿

院内のネガティブな音の響きをマスキングする音楽。これが、病院に求められる環境音楽の肝である。マスキングには、大きく分けて二つある。一つは、物理的マスキング。大きな音が小さな音でかき消されたり、周波数が近ければ一方の音が目立たなくなる現象のこと。もう一つは、心理的マスキング。二つの音が重なることで音量は上がるが、心理的な印象が好転する現象。例えば、車の騒音に樹木の葉擦れ音や水の音が重なれば、音量は上がっても不快感は減る。人によいイメージを与える音が、心理的マスキングを生み出す。

院内の音の響きは、「意味」が充満する。物理的マスキングを施すと、院内の音量が上がり逆効果だ。この場合、心理的マスキングが効果的。心理的マスキングは二種類ある。前景音（意味音）のマスキングと、背景音（無意味音）のマスキングだ。

前者は、意識に届く前景音を意味的にマスキングする方法。音楽でいえばメロディを使うのが効果的である。言葉の意味に旋律を重ねることで、目立たなくする。後者は、前意識的な背景音を響きでマスキングする方法。音楽でいえば、響き方や音色、編曲など音の処理を工夫して、空間内の音の響きを目立たなくする。今回意識したのは、院内の雰囲気をやわらかくすること。メロディを使いながらもソフトな聴感を与える音源制作を心がけた。

音源制作の実際

環境音楽制作で大切なのは、スルーされやすい曲＝スルーミュージックをつくること。やすらぎを感じる曲であっても、すでに知られている音楽なら聞き入ってしまう。そこで、誰にも知られていないオリジナル曲を制作した。ピアノを使い、思い浮かんだメロディの断片を直感的に音にする。力んで作曲しないこと。録音しっぱなしでピアノを弾く。ふとフレーズが出るまで、即興的に演奏を続ける。珠玉の瞬間を待つような心持ちだ。病院を観察して直感したのは、「悲しみ」の感情である。明るいだけの環境音楽は、逆に違和感を誘発しやすい。全体的に明るいメロディながらも、ふと立ち止まるように、ほんの少しの悲しみ要素を入れる。陰と陽のバランス感覚が大切である。

音源制作の中で、室野氏と何度もやり取りを行った。

「楽曲にベールをかけるというか、もっとマットに（しっとり）させることはできますか」

「シンバルっぽい音も気になります。病棟で流したときに、配膳時の食器や金属系の医療器具の衝突音のように聞こえ、違和感があります」

耳障りのない音色に感じても、現場をよく知る室野氏にとっては、一つひとつの音に自分の身体が反応するのだろう。彼女のアドバスから、病院環境の繊細さを感じた。

楽曲への反応

制作開始から一年が過ぎた。ついに音源が完成した。

「小松先生らしい、やさしい曲ですね。ふんわり感が増した感じがします。病院の壁の角がやわらかくなる気がします。よく聞くと『悲しみ』がわさびほど主張せずに、風邪気味のときの、素うどんに少し効いた生姜くらいに効いていて、いいですね」

室野氏独特のうまい表現だ。楽曲に満足してもらえて、安堵した。

今回の制作は、これまでの中で一番難しかった。特に音の最終仕上げ。音源のマスタリングもぼく自身が手がけ、万全を期した。人に任せると、最後の一振りが思い通りにいかないからだ。環境音楽導入後、スタッフ三〇四名にアンケートを行った。その結果、既存の音楽配信（ＢＧＭ）よりも、よくなったとの反応が得られた。

院内音環境の印象評定では、環境音楽導入前にみられた不快感が、導入後には緩和されるという結果が得られた。「かたい‐やわらかい」「重苦しい‐軽やかな」「緊張する‐緊張しない」といった項目を中心にして、統計的に有意に好転することが確かめられた。病院独特の室内環境音のマイナス印象が、環境音楽導入によって改善されたのである。自由回答については、「癒やしになる。心にゆとりを持てる」「気持ちがやすらぐメロディで、既製のクラシックでないのがいい」「今流れている曲にしんどさを感じたことはない」「既存の音楽は雰囲気にあわなかった。オリジナルがいい」など、新規の曲を導入したことをポジティブに評価する人が多かった。

院内で働く医師からも、正直な話を伺うことができた。

「ふだんは業務に忙しくて耳にしませんが、音楽を感じる場面が三つあります。①患者に深刻な病状を伝えなければならないとき。まわりに何も音がないと、ぎこちなくなります。②エレベータを待つとき。音楽があるとイライラ感が緩和されます。③更衣室で着替えをして、仕事モードから切り替わるとき。ホッと一息つく瞬間に、音楽が何気なく聞こえてくるんですね」（勤続一七年の女性医師）。

新たな環境音楽が響き始めることで、病院の空間にあたたかさが染み込む感じが生まれた。決して主張せず、背景で見守る音楽として。

共有の物語を紡ぐこと

新しい環境音楽が使われはじめて数週間後。室野氏から再び連絡が入った。そのメッセージは、ぼくの心を突き動かした。

「今日は、あえて病院の環境音楽を自宅で流しっぱなしにして、外出しました。帰宅したとき、当然流しっぱなしで出かけたのですから、音楽に迎え入れられました。やはり『間違いない』と思いました。公共の建物で流れる音楽は、建物が奏でる音なんですね。人格を帯びているように感じます。この曲（人格）で建物が奏で（語り）出すのかと思うと、改めて感動しました」

人格を帯びた音楽。深い言葉だ。そんな音楽を生み出せた理由には、次のようなことが考えられる。

常に対話を忘れず、互いを尊重し合い、信頼感を持ってプロジェクトを行えたこと。事業の継続や質の向上は、人としての尊厳あってこそ。お互いがつくりたい音のビジョンが共通しており、明確な貫通力を持っていた。空間を作曲することは、共有の物語を紡ぐことでもある。調査結果を論理的に分析しすぎず、最後は直感をたよりにしたことも奏功した。

環境音楽は、かたちのない造形物。建物と同じくらい重要ではないか。音は、衣服のような存在。音は鼓膜という皮膚に触れる刺激であり、鼓膜を通して脳にも触れている。心地よい音は、肌をなでられるような感じがする。

音の制作に「正解」はないけれど、試行錯誤をともにする仲間がいて、そのつど作り手の感性が磨かれていく。創作活動を続けることの大切さを実感したプロジェクトだった。

詳細情報・**耳原総合病院**

【音によるリノベーション】

所在地	大阪府堺市堺区協和町4丁465
制作	2016年4月〜2017年9月
完成	2016年10月
音源アルバム	『いのちのそばに 〜医療空間のための環境音楽〜』
楽曲コンセプト	・病院特有の緊張と不安を緩和させる楽曲 ・院内の不快音の印象をやわらげ、おだやかさを導く楽曲 ・聞きたい人には語りかけ、聞きたくない人には無視のできる楽曲
楽曲の特徴	・アンサンブルとピアノソロの楽器編成 ・意識に届く音を意味的にマスキングするメロディ ・前意識的な環境音楽で心理的な不快感をマスキングするソフトな響き ・受け手の立場に応じた聴取が可能な音楽 ・特定の感情を切り替えるために曲は5分程度 ・音楽の飽き対策として特定の時間帯（午前8時30分から午後8時）にのみ再生
楽曲	「そばに」（2017年） https://youtu.be/qyahrJH2IGc —

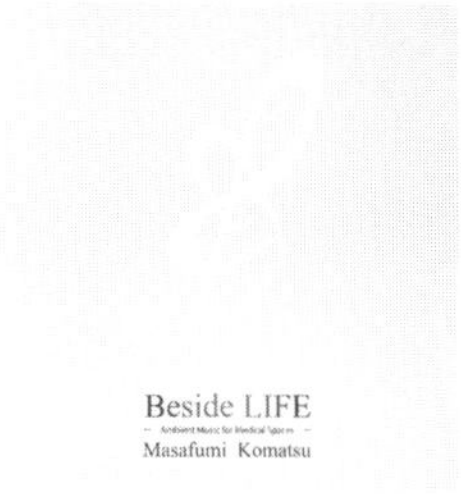

Beside LIFE
Masafumi Komatsu

Feedback

医療の現場で人びとに寄り添う音

耳原総合病院チーフ・アートディレクター　室野愛子さん

「もしも病院が声を持っていたら、どんな音だろう」

おだやかで寄り添うような音、包み込んで安心させてくれるような音、そんな声だったら……。病院のアートディレクターという仕事上、病院全体の空間や、地域の中での姿・役割を俯瞰してみると、そんな発想に至りました。

医療はエビデンスに基づき正確に患者さんに施されます。時に待合室に溢れる患者さんを効率よく診ていかなくてはいけません。次のオペのために事務的に話を終わらせ、現場に駆けつける。私の周囲の医療者たちは、もっと時間をかけて患者さんの背景を知り、気持ちに寄り添い、人間的な医療を提供したいと葛藤しています。

もしも病院に声があったなら、私はそんな医療者たちの優しさが音に表れて欲しいと思いました。人は言葉だけでなく、その音の響きや高低を無意識に聞き分けてコミュニケーションをとっています。視覚だけでなく、聴覚でも、訪れる患者さんに安心感を与えることができたなら……。

病院の声を創る仕事は、小松先生でなければいけませんでした。研究と制作どちらもこなされ、静かに寄り添う自然な音楽を作曲される。巷に溢れている既成の音楽では不十分でした。これまで幾多の音楽を、現場の調査を通して創作して来られた先生との出会いが、病院に必要な音をもたらしたのです。

調査の結果、現場には業務上必要不可欠な不快音がありましたね。ナースコールや受付機、配膳の音などは消せない音。それらの音を覆うように優しく流れる音楽が完成し、今この瞬間も患者さんや職員の耳に届けられています。

院内で患者さんが急変すると、職員を呼び出す緊急コードが全館に放送されます。医師らは走って現場へ駆けつけていきます。緊急時に私たちができることはありません。でも、すでにアートを設置した場所ならば、アートができることは間に合っているのだと思うのです。

先生との出会いに感謝です。創られた曲はこれからもずっと、患者さんやご家族に寄り添い、静かに支え続けてくれるでしょう。またいつか、この「はじめの一歩」からさらなる創作の機会をご一緒できたら幸いです。

音デザインの現場から——11

音でたどる・聖地巡礼・

田辺市立美術館／熊野古道なかへち美術館

［2018年］

II

音が変わると空間も変わる——音デザインの現場から

音でたどる聖地巡礼

田辺市立美術館／熊野古道なかへち美術館

強烈な静寂感

これほどの静寂を感じたことが、今までにあっただろうか。

和歌山県田辺市。熊野本宮大社から山麓に向かう熊野古道の森の中。

昼過ぎにもかかわらず、物音ひとつない。これまでの人生で昼間に感じた音としては、最も静かな瞬間だった。

青々とした空の広がりを見ながら、常緑樹林の匂いを感じる。歩き始めると、足音が軽やかにこだまする。一番聞こえてくるのは、自分の身体の音――足音、呼吸、衣擦れ。これが、熊野古道を「音」で深く感じた記憶である。

ぼくと熊野古道の縁を結んでくれたのは、田辺市立美術館に勤務する学芸員の方々である。田辺市立美術館・田辺市立図書館が二〇一八年三月に主催した連続講座『森と芸術』に招聘されたことが縁となり、熊野古道近辺をフィールドワークする機会に恵まれた。

ここでは、熊野訪問によって生まれた「熊野古道組曲」の制作過程を紹介しよう。

なぜ熊野古道に惹かれるか

熊野古道は、俗世からかけ離れた聖地のイメージがある。実際訪れてみると、冬なのに南国の雰囲気。鬱蒼とした森ではなく、光が差し込む。道は人里近くに存在し、周囲は明るく、生活空間としての安心感があった。人の往来が頻繁で、コミュニティ・スペースのような安堵感。平安の時代から都人がなぜ熊野の森に心を惹かれたか、わかる気がした。

森が人に与える魅力を、ぼくの専門である音響生態学の分野から解き明かしてみたい。音響生態学とは、ある空間に存在する生態系（人・動植物・モノ・地形それぞれの関係性）を、音から明らかにする学問である。簡単にいえば、音のフィールドワーク。音から空間の正体を探る発想である。

熊野古道を歩いて、森が持つ音の魅力を三つ発見できた。一つ目は、人の聴覚を超えた音の成分（周波数）が多数存在していること。二つ目は、多様な動植物の音が豊富に存在していること（響きの生物多様性）。三つ目は、不意に音が現れること（予測不能な音の存在）である。都市空間の音環境には見られない、ワクワクする気持ちを与える力が森にはある。

心動という現象

レイチェル・カーソンが記した『センス・オブ・ワンダー』というエッセイ集がある。彼女は、幼い甥と一緒に自然の中へと出かけ、「センス・オブ・ワンダー（＝神秘さや不思議さに目を見張る感性）」の存在を現場で感じ、その感動を詩的な文章で綴った。

この現象にぼくは、「心動」という名前をつけた。何かを表現したい欲求の直前に生まれる心理状態である。思いがけず何かに惹かれ、心が動いてしまう様子。何の前触れもなく突然曲が浮かぶ。なにげない風景に、心をときめかせる。

音には、私たちを「心動させる」吸引力が存分にある。この躍動感が音の本質である。音という現象は、次の行動を引き起こす誘引力を持っている。

メタ認知から音の表現へ

人は日常生活を離れる機会を得ることで、自分の立ち位置を客観的に把握することができる。この現象はメタ認知と呼ばれる。退屈な日常を過ごしていると、そのモードになるのは難しい。熊野古道を旅する機会は、聴覚刺激による強烈なメタ認知を生み出すきっかけとなった。メタ認知が身につくと、自分の行動を客観的に捉えることができるようになる。主観的に感じられる自分の存在が、客観的に認識された瞬間、両者にギャップが生まれ、心動が生まれるのである。心動は音の発想や創作意欲をもたらしてくれる。

今回の熊野訪問が刺激となり、『熊野古道組曲』を生み出すこととなった。このアルバムは、音で感じた熊野古道の印象を、リスナーの方に追体験してもらう作品である。

熊野古道組曲の制作過程

自分の創作意欲を前面に出した音の表現を繰り返すと、まるで連作障害のような状況になり、栄養分と発想力が枯渇しやすくなる。ぼくはこれまで二〇枚近くのCDアルバムをリリースしてきたが、自分の想いだけで実現したとは到底思えない。人や風景との偶然の出会いや、手を引っ張ってくれる仲間がいたからこそ、創作を続けられたのである。

制作過程で印象深かったのは、学芸員とのコラボレーションである。三谷渉(みたにわたる)氏と知野季里穂(ちのきりほ)氏のお二人と、フィールドワークの多くをともにした。熊野や音について語り合い、構成アイデアを交わし合い、互いの想いを真摯に突き合わせたからこそ、アルバムの完成度が高まったのである。

ピアノやシンセ、笙などの楽音的要素を用いながら、大斎原(おおゆのはら)の川音、冒頭で紹介した熊野古道の静寂の中を歩く音、那智の大滝の環境音を楽曲にブレンドし、聞き手に熊野古道の身体感覚を伝えた。

というのも、ぼく自身が現場の音風景に深く心動したからだ。「大斎原」では、近くを流れる熊野川の川音に感動。春先のおだやかな陽差しもあって、川のせせらぎは眠くなるほどソフトだ。リズム感もちょうどいい。よい湯加減のような水音は、意図的にはつくれない。ウトウトしたところに、川面を桜の花びらが流れ、ゾクっときた。「山中の熊野古道」では、しんとした静寂感に心を持っていかれた。「那智の大滝」では、自分の精神が滝の上に立ち昇るかのような感覚を覚え、まるで水しぶきの音の粒が見えるようだった。天から降り立つ神が滝をたどって地を這い、再び昇華する場面が想像できた。

目の醒めるようなアドバイス

心動から生まれた一五曲を三谷氏に聞かせた。意外な感想が返ってきた。

「それぞれ独立している曲たちを、組曲というカタチにしませんか。組曲をさらに二つに分け、第一組曲を『天（あま）』、第二組曲を『地（つち）』にしてはどうですか」

自分では発想できないアイデアだ。この手法はまさしく「ストーリーテリング」。作品に創造的な展開を生み出すための脚本づくりの手法で、「展開」「感情」「感覚」の三要素を作品制作のプロセスに物語として内蔵させていく。良案だ。彼は、ぼくの作品に見事な表現軸を与えたのである。

熊野古道の巡礼をひとつの旅と見立て、天と地という二つの舞台の中で、各曲のイメージが織りなされていく。一曲一曲が絵の素材（Scene）であるならば、それらを全体の組絵（Story）として構想し直すことで、何かのコトが起こることを誘発させる。その力は、聞き手の心動にもつながる。

熊野という場所を、地域内の人たちには自分の場所を再確認するきっかけに、地域外の人たちには新たに訪れたい場所として感じてもらえるアルバムが完成した。

隙を与える作品

CDが売れない時代に、なぜぼくはCDアルバムのリリースにこだわるのか。その理由は、CDアルバムは「有形物」として流通できるからだ。ジャケットには絵や文字を入れられる。ネット配信に比べて音質がよい。モノとして手元に置けるCDアルバムなので目に止まり、記憶にも残りやすい。実際に田辺市にある公共施設や店舗、カフェなどに実際に置かれているため、作品に気づいた人も多い。実際の空間には何ひとつ手を加えていないが、聞き手の脳内に取り込まれた作品の響きがもとになって、熊野古道を実際に訪れる人がいるかもしれない。

三谷氏は、ぼくの作品に「間（あわい）」を感じるという。最初から譜面はつくらず、即興演奏をもとに楽曲を構想する。譜面を用いた完成度の高い曲は隙がなく、聞き手が自由に入り込む余地が限られる。ぼくの場合は逆だ。隙が多く間が抜け、ツッコミどころ満載の未完成曲だ。ただ、何か足らないところをあえて残し、残ったパズルは聞き手や弾き手が自由にはめていく。そうすることで、新たな可能性——聞き手が作品に入り込みやすいチャンス——が開かれる気がする。

ぼくの作品は、関わった人たちの認識をほんの少しずらし、隙を与え、自分事のように作品や関連する世界を味わう機会を生み出すのかもしれない。ぼくには無自覚だった曲の真意を、三谷氏は見事に探り当てた。隙のある作品だからこそ、受け手が何か行動をしたくなるのだろう。

耳は、脳の一部が突出している器官。音の刺激を与えることで、脳内にある心をデザインできるかも知れない。恐ろしい話だが、音のパワーは未知なる可能性を秘めている。

熊野の音の旅は、自分の音表現の世界を、新たな境地に引き上げる機会となった。

詳細情報 ・『熊野古道組曲「天地（あまつち）」～ピアノと聖地の音風景～』【CDアルバム】

制作	2018年1月～5月
発売	2018年7月
音源アルバム	『熊野古道組曲「天地（あまつち）」～ピアノと聖地の音風景～』
楽曲コンセプト	・熊野を訪れた体験から生まれた旅の印象を音に変換 ・熊野古道の世界観を、組曲の構成によるアルバムで表現 ・アルバムを聞いたあと、熊野の地を旅してもらいたい
楽曲の特徴	・ピアノソロの楽器編成 ・熊野古道をイメージする音景を3種類使用 ・2つの組曲それぞれに、ストーリー性のある変化を持たせる ・隙間を感じさせる楽曲をつくり、聞き手が入り込みやすくした
楽曲	「巡礼」（2018年） https://youtu.be/b1FL5cWN_0k –

Feedback

ひとつのアルバム

田辺市立美術館学芸員　三谷渉さん

二〇一八年三月に、田辺市立美術館と同市立図書館とが連携して「森と芸術」と題する連続講座を開催しました。この催しは、当地、熊野の文化の基底にある「森」と、現代の芸術創造との結びつき、あるいは可能性についてを、作家自身から伺うというものでした。

「文学」「美術」「音楽」の三つのジャンルで行うことが定まり、具体的に候補を挙げて依頼をしてゆきましたが、最後まで決まらなかったのが「音楽」の講師でした。幾人かの名が挙がり、消えてゆくなかで、作曲だけでなく音と環境についての研究を継続し、それをさまざまな実践に結びつけている小松先生の活動についての情報を得たときは、天啓のように感じました。すでに二〇一七年一一月に入っていましたが、すぐに連絡をとり、面談がかなってからの進行は本当にスムーズで、そして思いがけない展開に至るものでした。

一月に小松先生にお越しいただき、当地の環境と音の取材を行ってもらい、その成果を軸にした講座が三月に開かれました。小松先生は講座の前後にもフィールドワークを重ねられ、一緒にいると、この地での感興が蓄積されていっていること、それが楽曲として迸り出ようとしていることが強く感じられました。

講座の開催で終わるのではなく、何かこれからにつながってゆくものを形にしたいという思いが共有され、CDアルバム『熊野古道組曲「天地」〜ピアノと聖地の音風景〜』の制作として結実しました。七月のリリースまでの短い期間に、音楽を二つの組曲（天と地）としてまとめること、アルバム全体を通して聞くことでひとつのストーリー（聖地巡礼）が浮かび上がるような構成とすることといったアイデアが、小松先生との対話を通して生まれ、録音、編集と同時進行で、それらは実現してゆきました。

このアルバムの約一時間、小松先生の音楽と当地の音景に耳を傾けることで、聖地の巡礼を追体験し、そこから得たものをもって、リスナーがそれぞれの歩みを新たにスタートしたなら、そして、ここに収められた音を通して、日常の再生、意識の覚醒が行われたなら、それもまたひとつの「熊野詣」といえるのではないかと思っています。

音デザインの現場から——12

漢方薬の効能を引き出す

むつごろう薬局［2018年］

（鈴木寛彦撮影）

走りながら考える

音（を含めた創作）活動を続けるコツは、転がり込んできた縁を面白がること。そして、走りながら考えること。

創作の縁をもらうのは、過去につくった自分の音楽に共鳴した人からの連絡が多い。依頼された時点で興味が湧けば、まず快諾する。知識や技術が不足していても、走りながら補う。すると、自分のレベルが数段上がる。できた作品が、新たな縁をもたらす。まるで螺旋階段を上るかのように。これが、創作活動が続く極意だ。

今回の縁もその流れ。「漢方薬を音楽にしたい」という連絡が入った。箱根のポーラ美術館で流れていたぼくの音楽を耳にし、心動かされた薬剤師からの依頼だ。難易度が高そうなことは間違いない。とにかく、静岡市の漢方薬局に向かった。

漢方薬の魅力に取り憑かれる

薬局に入った途端、生薬の入り交じる匂いがした。

「漢方薬は口から飲むもので、音楽は耳から入ります。どちらも人の心身に深く影響を与えます。

漢方薬による音楽をつくってほしいのです」

確信的に話を進める鈴木寛彦氏。彼は、むつごろう薬局という名の漢方専門薬局を営む薬剤師である。早速、温経湯という漢方薬を煎じてくれた。

やさしくてやわらかな味だ。身体にすっと溶け込む。生薬の滋養が舌に浸透する。

「漢方薬は、天然素材の生薬を利用しています。即効性は弱いですが、人間の自己治癒力に働きかけ、根本的な体質改善を促します」

漢方薬は、ゆっくりと、だが確実に、周辺環境を整えていく。まさに環境音楽と同じだ。「漢方を音楽にする」プロジェクトがうまく動きそうな手応えを感じた。

漢方薬と環境音楽の共通点

漢方薬と環境音楽には、多くの共通点がある。

漢方薬は、人間の生活習慣や周辺環境を修正し、体質を改善させるといった、病気の根本治療を目指すアプローチである。環境音楽も音の響きから周辺環境を整える役目がある。

とりわけ都市の音環境には、消し去ることが困難な不快音が多くある。その響きを目立たなくさせるのが、環境音楽である。ふだんは注意しづらい音楽だが、意識すれば純粋な音楽としても楽しめる。目立たず、即効性は弱いが、脳の反応を鎮めるために、今後需要が増える音楽になるだろう。場にふさわしい音楽であればあるほど、（個人差はあるものの）その空間にいる人たちの心身によい作用をもたらす。漢方薬と環境音楽をうまく掛け合わせれば、心理バランスがさらに整うことは間違いない。

鈴木氏は、薬局内の処方業務だけでなく、近くの畑で生薬を育てている。実際にフィールドに出て、野生の空気感を五感で感じ、漢方薬の処方に生かす。そうした姿勢は、ぼくの音活動と不思議なほど共通している。

「漢方を音楽にすることの目的は、まさに五感を呼び戻すことなのです」

そう語る鈴木氏の言葉から、まずは身体を整え、感性の働きを豊かにすることが、このプロジェクトの出発点と感じた。

共感覚を鍛える

感性を豊かにするための重要なキーワードは、「共感覚」だ。一つの感覚刺激を受けて、別の感覚が脳内で引き出される現象である。うめぼしを見ると食欲が出るとか、せせらぎを聞いて涼しさを感じる、といった感覚である。

人は感覚器官を通して、外からの刺激が脳に送り込まれる。入力された感覚刺激は、最終的に脳で身体の全感覚として統合される。つまり、五感はバラバラにあるのではなく、一つにまとまっているのだ。音なら音、味覚なら味覚といったように、感覚を分けてしまうこと自体が不自然である。

脳にインプットされた身体の全感覚は、心に直接作用を促す。音楽でいえば、明るい曲なら明るい気持ちに、暗い曲なら暗い気持ちになりやすい。これを「同質の原理」という。聞き手の心理状態に近い音の刺激を与えると、安心感や気持ちの快復につながるという、音楽心理学の理論である。

漢方を音楽にする目的。それは、漢方薬の効能を音楽の力でさらに高め、薬が効くための心理的な音環境を創り出すことである。音楽は漢方薬と違い、目には見えない。だからこそ、音や音楽と同時に存在する身体の全感覚、つまり共感覚を鍛えることが重要なのだ。

漢方薬の驚くべき多様な味

漢方薬にマッチする音源を制作するために、漢方薬を何度も煎じ、味見する期間をつくった。味覚と嗅覚の印象を音に変換する。まさに、共感覚を研ぎ澄ませる時間だ。

六種類の漢方の味を試してみた。当帰四逆加呉茱萸生姜湯(トウキシギャクカゴシュユショウキョウトウ)は、苦くて甘く、どろっとしている。温経湯(ウンケイトウ)は、苦さが少なく、甘みが若干多い。苓桂朮甘湯(リョウケイジュツカントウ)は、甘めでソフトな味わい。柴胡桂枝(サイコケイシ)

乾姜湯（カンキョウトウ）は、生姜のピリッとした刺激とともに、桂皮が甘みとソフトさを醸し出している。当帰芍薬散料（トウキシャクヤクサンリョウ）は、芍薬のクセのある匂いがし、ドロッとした食感だ。当帰建中湯（トウキケンチュウトウ）は、甘くトロッとし、苦みは一瞬あるがスグ消える。生姜がピリッと効き、味にパンチがある。

漢方薬は配合される生薬の種類によって、味の印象が大きく異なる。何事も経験しないと分からないものだ。

漢方薬にマッチする音楽の特徴

漢方薬は、やさしくてやわらかい味もあるが、苦みもある。苦味は、「気」を動かす推進力（脈動や律動）につながると感じた。漢方による音楽は、聞きやすさがありつつも、リズムの力で「前へ、前へ」という心理状態を出すことが重要だ。漢方薬にマッチする環境音楽の条件を、四つ構想した。一つ目は、リズムの力で推進力と躍動感を表現すること。二つ目は、心に響くシンプルなメロディをつくること。三つ目は、多様な楽器を使ってアドリブ演奏を行うこと。四つ目は、漢方薬にゆかりのある環境音を導入すること、である。

使用方法は、漢方薬を服用されるときはもちろん、漢方薬を煎じるときや、服用後のおだやかなひとときなどに再生してもらうことを想定した。

漢方薬は、複数の生薬を絶妙な塩梅で配合することで生み出される。音楽の制作も似ている。時間という流れの軸に従いながら、さまざまな音の素材を適宜組み合わせる。最終的には自分の全感覚を信じつつ、制作過程の中で最善の組み合わせを探し当てていった。

楽曲の制作過程

漢方薬の種類ごとにメロディや楽曲構成を決め、響きをやさしいものにするために、アンサンブルによる編曲を行った。使用楽器は、ピアノ・ベース・ドラム・パーカッション・チェロ・ギター・ビブラフォン、である。

曲の随所に漢方薬や自然環境をイメージさせる環境音（波、鳥、せせらぎ、生薬落下音、煎じるときの沸騰音）を入れた。動きと躍動感をつけるために、即興演奏のパートも入れた。リズム隊（ドラムとベース）も多用し、漢方薬の律動的環境（気の循環）を推し進めるように心がけた。

制作途中、鈴木氏と何度もやり取りした。特に変更の要望が多かったのが、音色の改良である。ピアノの美しさを出すために、パーカッションの金属音をなくし、ドラムの音を極力小さくしてほしい、とのこと。曲中のアレンジに変化がありすぎるので、シンプルにしてほしいと言われ、できる限りの改善を施した。

タイトルは『漢方音楽』とした。漢方音薬にしようとも思ったが、音楽は薬ではありえない。音の波動が脳に知覚され、それが音楽と認知されてはじめて音楽となる。薬になるかどうかは、聞き手次第。あくまでも漢方薬を使う空間を音でサポートすることに徹する。この価値観は鈴木氏も同じで、首尾一貫して制作に対する気持ちが一致していた。

ジャケットデザインにもこだわる

アルバム制作では音源はもちろん、ジャケットデザインも重要である。音源制作と並行して、アルバムのコンセプトをデザイナーの松本圭氏に伝えていた。彼には過去に幾度もジャケットデザインを依頼しており、スムーズに意思疎通できる関係にある。音源の方向性が決まった段階で、視覚的イメージをあらかじめ考えてもらっていた。

「今回は、漢方薬で使用する生薬の代表的な植物の写真を元に、イラストを描き下ろしましょう」と、松本氏。一目見てアルバムのイメージがつかめるように、エネルギーあふれる絵画タッチで表現したいとの意気込みだ。

完成した絵画は見事だった。柴胡、当帰花、牡丹などの生薬をモチーフに全体が描かれ、それらが水面に映り込んでいる。漢方の草花が水に溶け出し、体に摂り入れられるイメージがじかに伝わってくる。

CD盤面は、溶け出して浸透する漢方薬草が、コップを上から見たときのような印象でデザインされている。解説面は極力シンプルに、文字組のみのレイアウトデザインですっきり読みやすい構成になっていた。背景のカラーリングは、漢方薬のあたたかさを感じられるような、ナチュラルなテイストが採用されている。

音源をCDアルバムとしてリリースする際には、ジャケットデザインの影響力が大きい。とりわけ新規コンセプトを訴えかける作品ほど、ビジュアルデザインは死活問題だ。音源の方向性が決まった時点で、時間をかけてイメージを練ることが重要である。

ジャケット制作は、まさに共感覚のデザイン。視聴覚の相互作用による効果が存分に発揮される。

感性の地金を耕す

漢方音楽プロジェクトによって、自分も漢方薬を継続的に服用するようになった。毎日煎じることによって自浄作用が生まれ、心身に深い落ち着きが出はじめていた。結果として、自分の身体感覚が大きく変容するきっかけになったのである。

具体的にいえば、漢方薬によって、自分の身体感覚をセルフモニタリング（自己診断）しやすくなった。体調の異変や口にするものにも敏感になった。自分の身体に調和しないネガティブな刺激をちゃんと感知する能力が備わったのかもしれない。

目や口と比べて、耳は外界からの刺激を完全に防ぐことはできない。外からの音刺激が無防備に脳に侵入する。あまりにも膨大な情報量なので、聞かないフリをするように脳内がチューニングされている。このスルー機能は便利に見えて、危険な側面もある。脳は、音の感覚をあえて鈍くさせているのである。ひょっとすると、脳に過剰な負担がかかっているかもしれないのに。

大切なことは、バランス感覚。「聞こえすぎ」もよくないし、「聞こえなさすぎ」も問題だ。この発想は、漢方薬がもたらす陰陽バランスそのものである。環境音楽には、音から空気を整え、音の聞こえ方を平衡状態にする役割がある。

感性を磨くには、自分の内側にある身体バランスを調律すること。日々のくらしを丁寧に紡いでみる。過去や未来に執着しない。しなやかな心に、気を配る。今をニュートラルに感じてみる。するると、自分自身におだやかさや落ち着きが取り戻され、感性の地金を深掘りすることができるだろう。それこそが、環境音楽をつくる手前の原点だ。

そんな気づきを与えてくれた鈴木氏と、縁を結ばせた過去の自作品に感謝したい。

詳細情報 ・『漢方音楽 〜漢方薬による環境音楽〜』【CDアルバム】

制作	2018年6月〜10月
発売	2018年12月
音源アルバム	『漢方音楽　〜漢方薬による環境音楽〜』
楽曲コンセプト	・五感を呼び戻し、感性を豊かにするきっかけとなるアルバム ・漢方薬の効能を音楽の力で高め、薬が効きやすい環境をつくる ・漢方薬の魅力（味や効能）を、音楽によって伝える
楽曲の特徴	・リズムの力で推進力と躍動感を表現 ・心に響くシンプルなメロディ ・多様な楽器を使ったアドリブ演奏 ・漢方薬にゆかりのある環境音を導入
アルバム	『漢方音楽 〜漢方薬による環境音楽〜』（ダイジェスト版）（2018年） https://youtu.be/fHomFFTuuFc

Feedback

耳から「効く」漢方薬

むつごろう薬局代表　鈴木寛彦さん

畑に秋を告げる柴胡(さいこ)の花が咲き始める頃、私は家族と箱根のポーラ美術館に出かけていました。その日は折しも昼から小雨が降りだし、美術館は幻想的な空気に包まれていました。その風景を眺めていると、どこからかピアノのメロディが流れてきました。それは今までに経験がない音感でした。「心を鷲掴みにする」とはこのようなことなのでしょう。誰がこのような曲をつくっているのだろうと、思いきって電話をすることにしました。それからまもなくして、小松先生とのプロジェクトがはじまりました。

私たちは、女性の疾患に力を入れている漢方専門薬局です。特に不妊症を専門として二〇年余り経ちます。子どもができないという悩みは奥が深く、不安定な状態が続いている方がいます。漢方薬での治療を手助けしてくれる「何か」を探していたときに、この「音色」に出会ったのです。脳幹を揺さぶるような

この曲は、漢方薬とチームを組むことができれば、必ずよい結果に結びつくのではないか。想像しただけ

で全身が震えました。

わざわざ静岡までご足労いただいた際に渡した六種類の漢方薬を、小松先生はすべて自分で味わって音楽に変えてしまいました。漢方薬の味を音楽に……、どのように変換できるのか、今でも不思議でなりません。しかも曲の中には、漢方を煎じる音、生薬がぶつかる音が含まれていました。アルバムの八曲目には私との出会いの曲をさり気なくアレンジして入れていただき、先生の心のやさしさを感じました。

今このアルバムはたくさんのお客様に聞いていただいております。涙を流した方もいました。きっと張り詰めていた気持ちが緩んだのでしょう。聞いた後に心が温まると言われるのですが、だからこの曲を求めている方が多いのではないでしょうか。

漢方薬はいくら苦い味のお薬でも、その方に合っていれば無理なく飲めるものです。そして安心感や気持ちの快復をもたらしてくれます。このことは、音や香り、場の雰囲気でもまったく同じではないでしょうか。小松先生とつくりあげた「漢方音楽」は、体調を崩した方だけでなく、ストレスが多い現代社会に、よい空間をつくるのに必要な音感なのです。まさに耳から「効く」漢方薬だと思うのです。

「漢方音楽」を作っていただいたことに感謝しております。小松先生、ありがとうございました。

音のデザイン
ツールキット

1 音のデザイン「ツールキット」をはじめる前に

この章では、読者の方が音のデザイン（とりわけ環境音楽制作）を手軽に実践できるように、「ツールキット」を用いた作業手順を紹介する。ツールキットとは、目標設定や問題解決に向けた、思考をまとめるガイドラインのこと。現場で発見したことを整理するための、書き込み可能な道具である。

本書で示したとおり、音をデザインする方法論は確立されていない。ただ、二〇年近く大学でゼミや授業を行う中で、初心者でもわかりやすい方法論をまとめることに成功した。ぼく自身がデザインの現場の中で培ってきたエッセンスを、ツールキットの中に集約することもできた。

小松ゼミのモットーは、「楽しさを感じること」と「ストレスを溜めない」こと。音をもとに発想を自由にふくらませるには、楽しさを感じるクリエイティブな環境が必要である。音によって心が動く新鮮な躍動感は、音活動するためのエネルギーを生み出す。その心動をツールキットに記すのだ。

音の環境をすぐに変えるのは難しい。まずは、音にまつわる経験から気づきや学びを得ることが大切である。そのためには、ふだんの生活で不便さや違和感を探してみること。つまり、音や空間のことを、自分なりに意識し続ける姿勢が大切である。優れた結果を出す必要は、まったくない。

このツールキットは、基本的に一人で実践可能である。実践の現場に立つ中で、繰り返し思考することを重ね、自分の耳と身体を信じて時間をかける。そうした粘り強さがあれば、音のデザインは進行するだろう。

ここで紹介するワークシートは、拡大コピーなどをして活用すると使いやすい。さまざまな場所で、トライアル・アンド・エラーの精神で試してほしい。

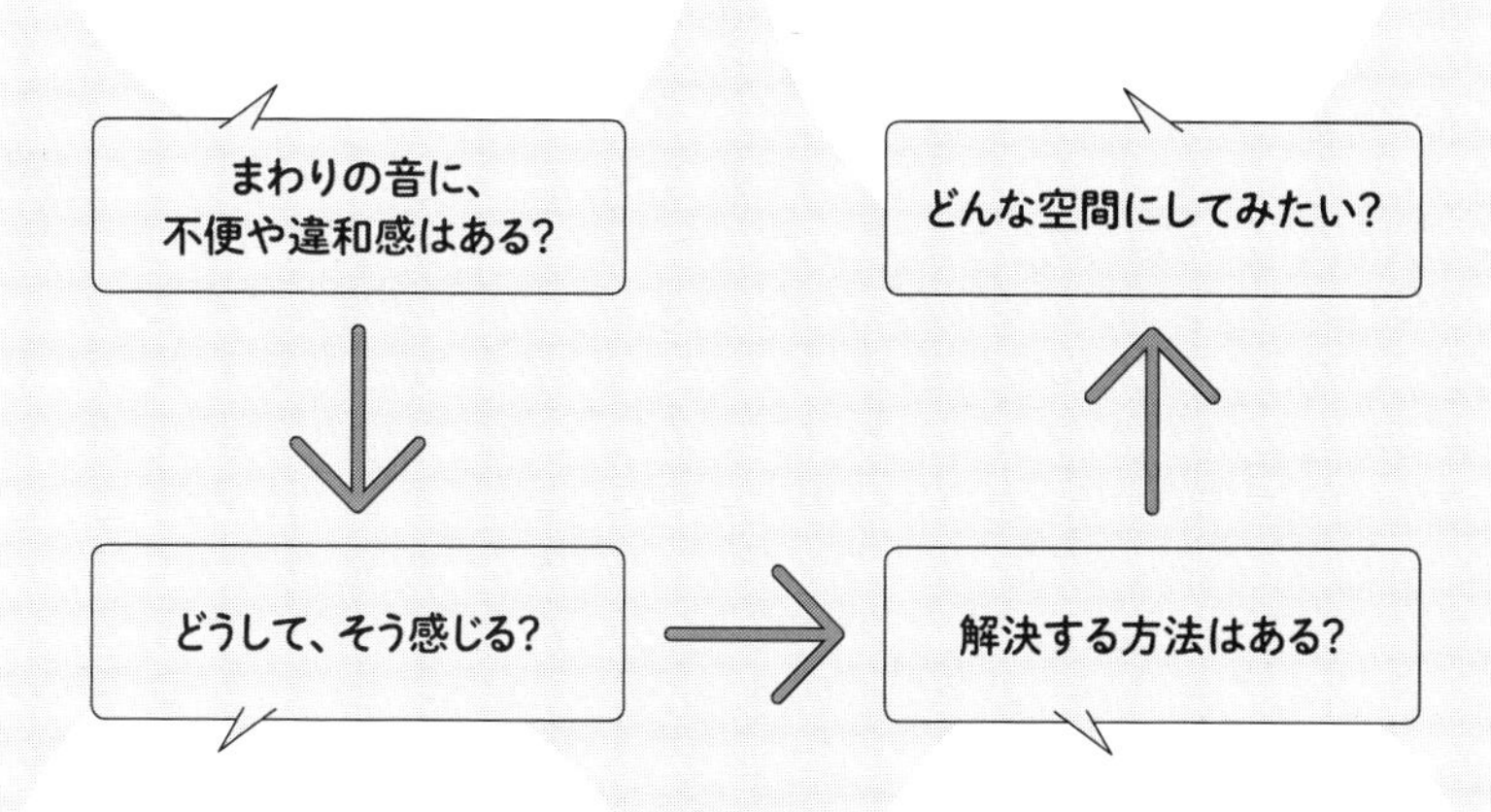
まわりの音に、
不便や違和感はある?
どうして、そう感じる?
解決する方法はある?
どんな空間にしてみたい?

2 音育（おといく）――音に共感する

いきなり音のデザインを始めるのは、危険だ。まずは、自分自身がナニモノであるかを知ること。今現在の自分の立ち位置を見直し、音の聞き方のクセを発見するのである。ぼくたちの音の聞こえは、前意識と意識のバランスが悪い状態にある。そのゆがみを認識することが、音のデザインでは欠かせない。楽器に「調律」を施すことに近い。難しくはない。前意識で感じている音の世界を実感するための、二つの音育メニューを実践しよう。

まず一つは、「音が消える瞬間」。音が持続して鳴り続ける音具（音が出る道具）を用意する。仏壇にある鏻（りん）でも、ピアノでもよい。音が消える瞬間に注意を傾け、その感覚をじっくり味わう。すると、今まで意識を向けづらかった背景の音が、瞬間的に注意される。

もう一つは、「全身を耳にする」。高台など遠くの音が届きやすい場所に行き、ゆったり寝転がって、全身が耳になったような感覚で音に浸る。ふだんよりもゆっくりした呼吸のテンポで、三〇分ほど寝転がってみよう。スルーされがちな音の響きに包み込まれていく。これこそが、聞こえのゆがみが取れた、真の聴感覚である。自分の身体と音が共鳴している心理状態になる。ニュートラルな音の捉え方といってもよい。

続いて、自分の音の好みをたぐってみる。好きな音や嫌いな音など、音への嗜好を見直すことで、音への関心を高めるのである。音に意識を向け続けることは難しい。生活の中で耳を鍛え、音の記憶を頭の中に残すことが必要である。

「音が消える瞬間」の感想

「全身を耳にする」の感想

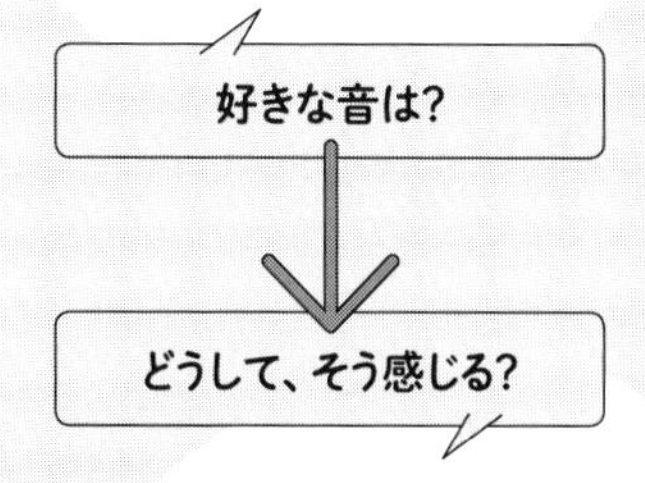

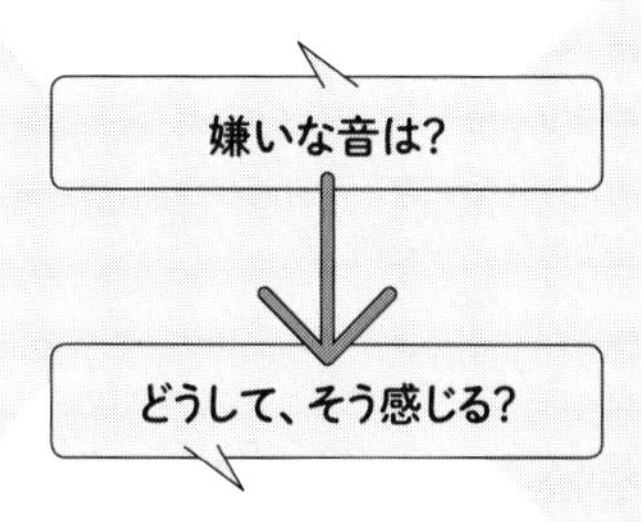

3 対象空間を選ぶ

音のデザインで取り組みたい空間を、具体的に決めよう。いま、パッと思い浮かんだ場所でも、前々から気になっていた空間でもかまわない。直感で選ぶことが大切である。選んだあとは、どうしてその場所を変えたいと思ったのか、どこに違和感があるのかを、徹底的に掘り下げてみる。

どうしても思い浮かばないときは、身近な生活空間や、ふだんよく使う施設に出かけてもよい。実際の現場に立ち会うことで、見えてくる風景や聞こえてくる音の響きに、何かひっかかりを感じるかもしれない。頭の中のイメージだけでは、限界がやってくる。

音のデザインの現場は、基本的には公共空間である。不特定多数のユーザーが利用し、直接的なコントロールが利きづらい場所。個人の音の好みはもちろん大切だが、大多数の利用者が不快に感じることのない音を追求することが、公共空間では求められるのである。

もし、適当な公共空間が思いつかないときは、思いきって自宅などの私的空間を対象にしてもいいだろう。滞在時間の多い自室では、どんな音が望ましいのか。自問自答することで、空間の改善につながっていく。

積極的に音のデザインを進めるにあたっては、ネガティブ要素だけでなく、ポジティブ要素にも耳を傾けることが、重要である。積極的に音で表現したいことは何なのか。どうすれば音の価値を付加できるのか。そうした視点で、対象となる空間を発見してみよう。

さらに深掘りをするなら、不便さや違和感のある原因は何なのか、多角的に探し求める姿勢が有効である。

対象場所を一つ決める

不便さや違和感は何か?

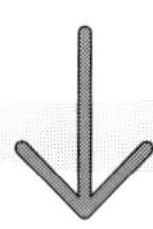

何をどう変えたいのか?

4 音学（おとがく）（その一）——音の名前を記録する

音学とは、音のフィールドワークである。現場にある音（あるいは周辺）の情報を記録する段階である。対象空間が決まれば、現場に出かけて実際の音の様子を、自分の耳で確かめる。先入観や偏見をできるだけ捨て、ありのままの様子を心身にインプットしてみよう。

まず、歩きながら空間の隅々までじっくり観察してみよう。その中で、空間の雰囲気を代表するような位置を見つける。例えば、人の出入りが多い場所や、シンボリックな雰囲気のするところ。その場所を、音観察の定点にする。一つに絞る必要はない。複数の候補を決める。

観察場所が決まったら、観察しやすい姿勢で空間の音を一分間聞いてみる。聞こえてきた音に名前をつける。そうはいっても、意味を直接伝えない響きのような、言葉にしづらい音もあるはずだ。その場合は、擬音語や擬態語などで表現してもよい。その場で思いついた文字を綴ってもよい。文章で音の詳細を説明してもよい。決まった表現方法はない。自分のやりやすい仕方で音の名前を記録することが大切だ。

一分間経過すると、記録された音名に、細かな説明を加えていく。音量や頻度はどうか。自分にとって好きか嫌いか。気づいたことは何か。優占音種（空間を一番多く占める音）は何か。記憶が残っているうちに、音のメタ情報（音についての周辺的なデータ）を現場の空間の中で書き留めることがポイントである。

音は千変万化し、時々刻々うつろいゆくものである。同じ空間内でも時間や観察場所を変え、何度も行うと、より正確な音の状態が記録されるだろう。

観察場所｜ 記録者｜

観察時間帯｜ 天候｜

音の名前	詳細説明（誰が出した音？）	音量	頻度	好み
		大 中 小	持続 断続 単発	好き なし 嫌い
		大 中 小	持続 断続 単発	好き なし 嫌い
		大 中 小	持続 断続 単発	好き なし 嫌い
		大 中 小	持続 断続 単発	好き なし 嫌い
		大 中 小	持続 断続 単発	好き なし 嫌い
		大 中 小	持続 断続 単発	好き なし 嫌い
		大 中 小	持続 断続 単発	好き なし 嫌い
		大 中 小	持続 断続 単発	好き なし 嫌い
		大 中 小	持続 断続 単発	好き なし 嫌い
		大 中 小	持続 断続 単発	好き なし 嫌い

優占音種（一つ）の記述と、測定中における音や空間の印象

5 音学（その二）――五感を意識する

ぼくたちは音を聞くとき、耳だけを使っているのではない。見るもの、さわるもの、食べるもの、匂いなど、耳を超えた全身感覚が、音の印象を決定づけている。

よく知られているのが、目と耳の関係。視聴覚相互作用ともいわれる。音の感覚が、見たものの刺激によって大きく影響される。逆に、見た目の景色（視覚情報）や料理の味（味覚情報）がよくても、音ひとつで台無しになることもある（「はじめに」でも紹介した）。

音をデザインするとき、音に集中することは必要だ。同時に、空間の印象を、身体全体で捉えることも忘れてはならない。人間の五感（視覚・聴覚・触覚・嗅覚・味覚）で受け止められた感覚刺激は、脳の中で「一つの印象＝感覚質（しつ）」として統合される。

室内空間で音をデザインするときは、発想が狭くなりがちだ。だから、できるだけ身体全体を活性化させ、空間の特徴を感じようとする積極性が必要になる。

もちろん、五感の一つひとつを区分したり、厳密に取り出すことはできない。あくまでも「全体をひっくるめた身体感覚」として、直感的に認識される。それぞれの感覚を記録したあとは、全体を包括した全身感覚の記録に、意識を向ける。

その後聴覚に焦点を絞り、各感覚とのつながりを意識する。五感を意識することは、あるべき姿の音のデザインを構想することに役立つのである。

視覚の印象は?
(スケッチや写真を使ってもよい)

触覚の印象は?
(温度感や湿度感も含めて感じてみる)

嗅覚の印象は?
(目に見えない感覚なので、何かに例えるとよい)

味覚の印象は?
(近くに食べ物や特産品はあるかどうか)

そして、聴覚の印象は?
(他の感覚の影響を受けての印象)

五感全体の印象は?
(全感覚をまとめて感じてみる)

6 音学（その三）――サウンドマップを描く

音は、時間の流れに沿って現れては消え、留まることがない。つかめそうでつかめない。もどかしい対象である。空間に現れる音の情報は膨大だ。すべてを記録することはできない。空間で感じた音の印象を、他の人に伝えるには、どうしたらよいのだろうか。

「心動（しんどう）」が大切だ。観察者であるぼくやあなたが、「いま、ここ」にある音を発見し、その心の動きを何らかのカタチに変換・表現する。そんな臨場感を保てば、相手に伝わる。その適切な記録方法が「サウンドマップ（音の地図）」である。

やり方は簡単。白紙を用意し、自分のいる位置に×などの印をつけて、作業開始。聞こえてきた音を、目に見える絵や文字など自分の好きなやり方で記録し、紙に描く。言葉では書き切れない（表せない）響きや雰囲気がきっとあるはず。各自で工夫して描いてほしい。

音の響きは、立体的な位置の情報を含んでいる。左にある音は左から、右にある音は右から聞こえてくる。視覚でまかない切れない立体的な情報を、聴覚で補っている。音が聞こえる位置や方向を、紙に反映させるのだ。

サウンドマップを描くコツは、スグに描き始めないこと。最初の一分くらいは、空間で聞こえる音の全体的な印象を頭に定着させる。描き続けると、紙がびっしり詰まってくる。一〇分程度描いたら、仕上げに入るのがベターだ。

後で自分が見ても、相手に見せても、絶大な効果があることを実感するだろう。

自分のいる位置を示すために、印をつける。紙に記す位置は、
どこでもよい。10分を目安に描く。10分経過したら、仕上げに入る。
描き方は自由。聞こえた音の位置を意識して描く。

7 音学（その四）——オーナーとユーザーを理解する

対象空間を運営する施主（オーナー）や、利用者（ユーザー）の生の声を聞き、音のデザインに反映させる。フィールドワークでは、意識調査の方法として、量的に調査する方法（アンケート）と、質的に調査する方法（ヒアリングやインタビュー）がある。ここでは、質的調査に絞って説明する。

インタビュアー（インタビューをする人）は、インタビュイー（インタビューを受ける人）に対し、信頼関係をつくることが最優先だ。距離を置かれないこと、相手に誠意を示す態度が、成功のカギである。インタビュアーは、一人でも複数でもかまわない。二人で行う場合は、役割分担を決めておく。

使用する記録道具は、ノートにペン、場合によってはＩＣレコーダなどがあれば便利である。相手への質問は、すぐに本題に入らず、まずはお互いを理解する段階から始める方がスムーズにいきやすい。

相手の文言だけを記録するのは、もったいない。ノンバーバルな反応（非言語的な身体反応）にも注意すれば、相手の真意を汲み取りやすくなる。相手の心動をすばやくキャッチし、臨機応変に話題や質問内容を変える「即興力」も試される。とはいえ、場数を踏めば、何とかなるものだ。

音のデザインに特化したインタビューのコツは、音に特化しないこと。音は世界の一部である。音に潜む背景を引っ張り出すアプローチで話を進めると、結果的に音の話題に収まる。

インタビューする時期は、音の観察を始めた後がよい。対象空間の音の印象が明確になるので、現場の音を深掘りする質問ができるからだ。

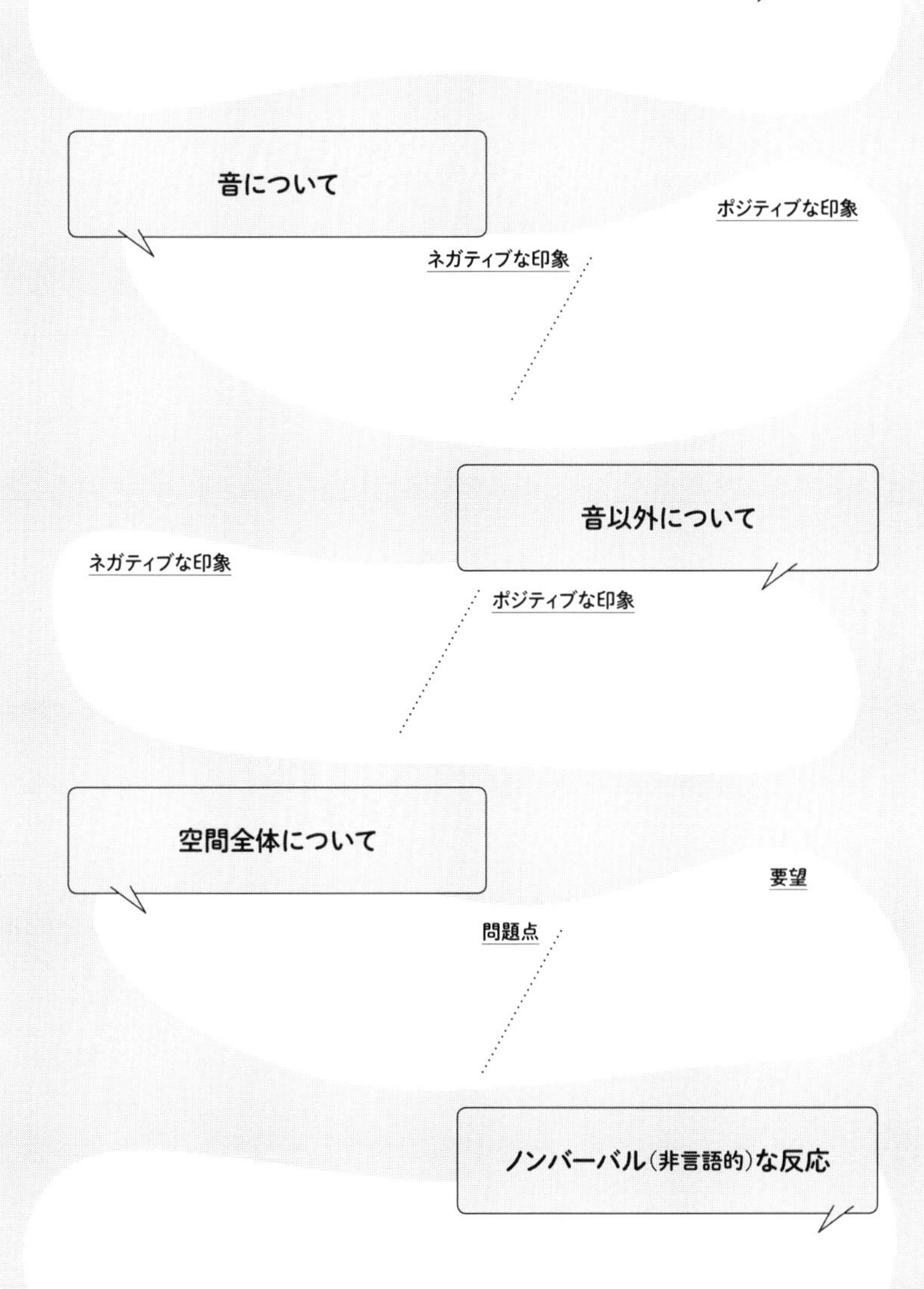
インタビュイー(インタビューを受ける人)
の名前やニックネーム
音について
ポジティブな印象
ネガティブな印象
音以外について
ネガティブな印象
ポジティブな印象
空間全体について
要望
問題点
ノンバーバル(非言語的)な反応

8 音学（その五）——主観的な音の感覚を数値化する

主観的な音の印象を数値化できる魅力的な方法。それが「ことばのものさし」だ。実験心理学の分野では、ＳＤ法と呼ばれる。人それぞれが感じる主観的な音の印象を、客観的な数値として相対化することができる。ぼくの感覚とあなたの感覚を比べることができるのだ。

方法は簡単である。「明るい - 暗い」といった印象を表す形容詞対（あるいは表現語対）をいくつか用意し、五段階あるいは七段階の尺度をつける。そして、評価の対象となるモノ（あるいはコト）の第一印象を、直感的に判断してもらう。集計方法には、平均値化・検定・因子分析などがある。

形容詞対の言葉には、定番がある。「好き - 嫌い」などの評価因子が代表例だ。音の性質を測るときは、「明暗因子（明るい - 暗い）」「金属性因子（鋭い - 鈍い）」「迫力因子（大きい - 小さい）」もある。これらの言葉はアレンジ可能だ。空間の特徴やデザインの目的に応じて、工夫を重ねてほしい。

もう一つ、音の数値化として欠かせないのが、音量（デシベル）である。以前は高価な騒音計を買うしかなかった。最近ではスマホ対応の高性能アプリが次々と開発され、廉価で高度な計測が可能になった。等価騒音レベル（*LAeg*）をはじめ、最大値と最小値を一〇分間にわたり計測する。

これらの方法を併用すれば、主観的な観察を補うことができる。音の感覚を数値化することは、他人に説得力をもって音の状態を客観的に説明することにつながるのだ。

	非常に 1	かなり 2	やや 3	どちらともいえない 4	やや 5	かなり 6	非常に 7	
例 快い		●						不快な
快い								不快な
好き								嫌い
美しい								汚い
大きい								小さい
迫力のある								物足りない
太い								細い
鋭い								鈍い
甲高い								落ち着いた
はっきりした								ぼんやりした
明るい								暗い
暖かい								冷たい
派手な								地味な

騒音計(アプリでも可)による音量の計測

場所	*LAeq* dB(A)
LAmax dB(A)	*LAmin* dB(A)
計測日時 年 月 日	計測時間帯 ~

9 音創（おとつくり）（その一）——音のデザインのコンセプトを練る

いよいよ、現場で音のデザインをする段階になる。音創を進める指針（コンセプト）を練っていく。

音のデザインの目的は、二つある。一つは「問題解決型」のアプローチ。音の問題を解消する策を練ること。例えば、音の不快感を低減させる手立てがある。

もう一つは「問題発見型」のアプローチ。これまで発見されたことのなかった音の問題（あるいは魅力）を見つけ出し、新たな価値づけや意味づけを音で提案する手立てがある。ゼロ、ときにはマイナスからプラスにもっていく難しさがあるが、成功すれば効果絶大。空間の魅力は飛躍的に増す。

そこまで行かなくても、まずは、問題解決の方法を音で設計することがやりやすい。個別になりすぎず、全体のフレームワークをつくることが大切である。これまで観察してきた現場のデータを何度も見直し、ときには現場に足を運び、音のデザインのストーリーづくりを行うのだ。

音は目に見えないし、具体的なモノとして目の前に示すこともできない。これは難点だ。だが、大きな長所にもなる。目に見えない現場の「コト（＝時間と空間の中で織りなされる出来事）」に、魔法のようにカタチを与えることができるのだ。具体的な空間に対して、というよりも、人間の脳に向けて。音は、人の心にダイレクトにパワフルに訴えかけるので、まったく新しいデザインが生まれると、ぼくは思っている。

Ⅰで示した、「マイナス」「ハコ」「プラス」の方向性も意識しながら、音のデザインのコンセプトをまとめてみよう。

どんなコンセプトに
したいのか?

どんな音で問題を
解決するのか?

どんな音で新たな
価値づけを進めるのか?

どんなストーリーに
したいのか?

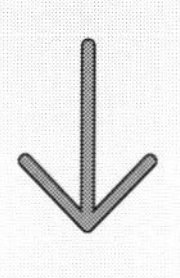

マイナスの音デザイン
(音をへらす)

ハコの音デザイン
(響きの調節)

プラスの音デザイン
(音をふやす)

10 音創（その二）——環境音楽の制作

音のデザインで環境音楽を導入する条件は、その必要性がある場合に限る。制作が求められたら、できるだけシンプルに背景の存在になることに徹して、オリジナルかつオーダーメイドで作曲を進める。肝心なのは、はじめから完成型にもっていかないこと。プロトタイプ（見本／原型）をつくり、完成に近づける。

いったん制作した音源は、簡易的に現場で流してみる。スピーカが用意できなければ、スマホを使ってもよい。まずは、実際に現場空間で音を鳴らしてみること。多くの発見と改善点が浮かび上がってくる。施主にも立ち会ってもらい、正直な感想を伺ってみる。

現場での感触と、施主の想いを持ち帰り、音源に修正を加える。この作業を何度か行うことで、現場に調和した環境音楽が次第に完成していく。その際重要なのは、自分の中で「音の判断基準」をもっておくことだ。

音楽制作は複雑と思いがちだが、要素に分けてみれば意外にシンプルである。音楽の「3＋1要素（リズム・メロディ・ハーモニー＋音色や響き方）」を意識すれば、現場のリアルな音と調和することができる。制作途中に行き詰まったら、現場に出向くのが効果的である。意外なヒントが生まれてくる。

とはいっても、スムーズに進行しない場合もある。そのときは大抵、余計なことを考えすぎたり、思考を巡らせすぎることが原因だ。いったん作業を止め、少しの空白時間をつくる。ニュートラルな気持ちを取り戻すこと。耳トレ（音育メニュー）をしてもいいだろう。

余計な情報を捨て、シンプルな音源づくりを心がけることが、成功のカギである。

環境音楽のコンセプト/
再生環境/再生時間/曲数など

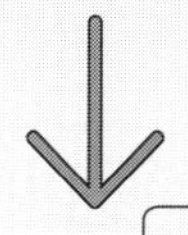

どんな速さのリズムにするか?
その根拠は?

どんなメロディにするか?
その根拠は?

どんなハーモニーにするか?
その根拠は?

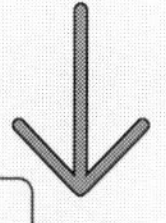

どんな楽器
(あるいは録音された音)を使うか?

音色や響き方はどうするか?

11 音創（その三）——ユーザーテストとマネージメント

完成した音源を実際の現場で再生し、オーナーとユーザーの感想や反応を聞いてみる。7（音学・その四）と共通した作業になるが、ここでは、完成した音源の効果を測定する目的で進める。

ユーザー（参加協力者）に対し、一人あたり三〇～六〇分を使って、実際に対象現場を利用してもらう。その際、音楽がある場合とない場合に分ける。それぞれの状況ごとに感想を聞くと、音の効果が明瞭にわかるだろう。感想を聞くときは、音のことを直接意識させない配慮が必要である。はじめに全体の印象を、続いて音の印象をさりげなく尋ねるのが自然である。

ユーザーにテストを依頼する場合は、時間を要する。負担がかかるのを苦にしない人（例えば、対象空間をよく利用するヘビーユーザーなど）を選ぶのが無難である。

音のデザインの最終段階として、マネージメントの配慮がある。音のデザインは、「設置して終わり」という事例があまりに多い。音響設備の経年変化による音の劣化をはじめ、利用者や建物の状況に応じて、人も音も変化する。そのつど、最適解を発見し、音源を見直すといった、現場空間への継続的なコミットメントが、場のよさを保たせるコツである。

何よりも、オーナーやユーザーと仲良くなること。その関係性は、空間にも音にも現れる。ぼくたちが現場に何を貢献できるのか。それを音で考え続けることが、音のデザインに携わる者のミッションである。楽しくやりがいをもって、音の活動を続けられることを願っている。

インタビュイー（インタビューを受ける人）の名前やニックネーム

全体な印象はどうか？

音の印象はどうか？

改良すべき点は？

音のデザインで何が変わったか？

コンセプト（目標）は達成されたか？

今回の活動を「定義」すると何になるか？

今後、自分が「貢献」できることは何か？

おわりに――音の響きで世界をあかるく

音の世界は、ふだん背景に埋もれてしまっていて、なくてもかまわないと思われている。さしあたって問題なければ、「とるにたらないもの」として忘れ去られる。

でも、前意識で聞いていた大切な音がいざ消えてしまうと、なくなったことで、はじめて違和感が生まれる。それほどぼくたちの脳は、音をスルーする能力に長けている。音に注意しすぎると、日常生活に支障をきたしてしまうからだ。

ぼくたちのまわりにある空気も、似た存在。意識しすぎると、呼吸することがヘンになってしまう。音をデザインすることは、無味無臭の空気にテコ入れすることなのだ。

陸上動物である人間は、空気を伝わる音の振動を、リンパ液に包まれた有毛細胞で感知している。一方水生動物である魚は、水流や水圧を、体の側面にある側線によって感知している。有毛細胞と側線は、同じ出自なのだ。音を考えるとき、ぼくは、魚の側線のことを思い出す。人間にとっての空気は、魚にとっての水のようなもの。空気がないと生きられない。それほど、音の存在は、ぼくたちに大きな影響を与えている。まさに、命のようなものである。

音の世界は、いま転換期を迎えている。人が都市に集まり、過密な人口の中で生活している。スマホや音楽再生プレーヤーの普及で、イヤホンを多用するようになった。結果、都市生活者をはじめとした現代人は、周囲の人工音を避けるようにして、自分の好きな音だけを聞き、まわりの音を聞く意識が減ってきた。

三〇年近く音に注耳して活動してきたぼくは、最近、音の環境に異変を感じるようになった。特に、音を聞いている人の表情に、疲れや暗さがあることだ。音の空気が、なんだか淀んでいるのではないか、と。

環境音楽をつくる意義は、空気を整える効果があると、ぼくは思う。作曲することは、魔法のようなもの。数値では説明がつかない。やってる本人も、よくわからないことが多すぎるのだけど、いざ曲が生まれると、人の心を響かせる。空間にある空気（＝心理的な感覚印象）を浄化する。きわめて不思議なものである。音楽をつくる手前で、人や空間にコミットメントすればするほど、場に馴染んだ曲をつくることができる。これって、農業に似ているような気がする。

音楽は、人の心を豊かにする。いわば「生きる素」といってもいい。ただ、自分だけの表現欲に留まるだけでは、その世界は広がらない。まわりの人たちや環境の幸せを願って、利他的な気持ちで音を紡ぐと、自分を超えたナニモノかになれるような音が生み出せる。ぼくは、経験的にそう感じる。こうした想いが生まれ、環境音楽制作を実践できたのも、活動をともにした同志のおかげである。

とりわけ、本書に登場した一人ひとりの存在なくしては、環境音楽は生まれなかった。心躍るお手紙もいただき、深く感謝を申し上げたい。

そして、本書が生まれるご縁をいただいた、昭和堂の松井久見子さんと土橋英美さんにも、厚く感謝を申し上げたい。ぼくの一二年間の音の軌跡を、一冊の本にまとめられたことは、幸運としかいいようがない。

その環境で創った音楽が、環境音楽ではない。

その環境で愛される音楽が、環境音楽である。

そんな音楽をこれから共に創ってみませんか。

よし、やろう！

令和二年三月

小松正史

参考文献

アートミーツケア学会編　二〇一四『病院のアート――医療現場の再生と未来』生活書院。
エレン・ラプトン（ヤナガワ智予訳）二〇一八『デザインはストーリーテリング』ビー・エヌ・エヌ新社。
石堂威・木村善男編　二〇〇三『ポーラ美術館』日建設計。
岡田暁生　二〇一九『音楽と出会う――二一世紀的つきあい方』世界思想社。
国立西洋美術館・ポーラ美術館・TBSテレビ編　二〇一三『モネ、風景をみる眼――一九世紀フランス風景画の革新』TBSテレビ。
小松正史　二〇〇八『サウンドスケープの技法――音風景とまちづくり』昭和堂。
小松正史　二〇一〇『みんなでできる音のデザイン――身近な空間からはじめる一二ステップのワークブック』ナカニシヤ出版。
小松正史　二〇一三『サウンドスケープのトビラ――音育・音学・音創のすすめ』昭和堂。
小松正史　二〇一六「京都府立丹後郷土資料館の音環境デザイン・プロジェクト――環境音楽を用いたアクションリサーチを通して」京都精華大学紀要第四九号、一〇五〜一二四頁。
小松正史　二〇一七『賢い子が育つ耳の体操』ヤマハミュージックメディア。

小松正史　二〇一七『一分で「聞こえ」が変わる耳トレ！』ヤマハミュージックメディア。
小松正史　二〇一七「プラネタリウムの音環境デザイン・プロジェクト（一）――久万高原天体観測館でのアクションリサーチを通して」京都精華大学紀要第五〇号、六九～九〇頁。
小松正史　二〇一七「鉄道のサウンドブランディング戦略（一）――京都丹後鉄道における音環境デザインの実践報告」京都精華大学紀要第五一号、八七～一〇九頁。
小松正史　二〇一八『毎日耳トレ！――一ヶ月で集中脳・記憶脳を鍛える』ヤマハミュージックメディア。
小松正史　二〇一八「鉄道のサウンドブランディング――京都丹後鉄道における音環境デザイン」運輸と経済第七八巻五号、六三～七一頁。
小松正史　二〇一九「京都府立丹後海と星の見える丘公園の音環境デザイン・プロジェクト――環境音楽を用いたアクションリサーチを通して」日本音響学会二〇一九年秋季研究発表会講演論文集、六四頁。
小松正史・室野愛子　二〇一九「医療空間の音環境デザイン・プロジェクト（一）――耳原総合病院を例にして」日本音響学会二〇一九年秋季研究発表会講演論文集、六四頁。
下條信輔　一九九九『「意識」とは何だろうか――脳の来歴、知覚の錯誤』講談社。
ジャスパー・ウ（見崎大悟監修）二〇一九『実践スタンフォード式デザイン思考――世界一クリエイティブな問題解決』インプレス。
ジョエル・ベッカーマン、タイラー・グレイ（福山良広訳）　二〇一六『なぜ、あの「音」を聞くと買いたくなるのか――サウンド・マーケティング戦略』東洋経済新報社。
高橋弘樹　二〇一八『一秒でつかむ――「見たことのないおもしろさ」で最後まで飽きさせない三二の技術』ダイヤモンド社。
長谷川浩己　二〇一七『風景にさわる――ランドスケープデザインの思考法』丸善出版。
バーニー・クラウス（伊達淳訳）　二〇一三『野生のオーケストラが聴こえる――サウンドスケープ生態学と音楽の起源』みすず書房。
馬場正尊、Open A　二〇一三『RePUBLIC――公共空間のリノベーション』学芸出版社。
枡野俊明　二〇一一『共生（ともいき）のデザイン――禅の発想が表現をひらく』フィルムアート社。
光嶋裕介　二〇一八『ぼくらの家。――九つの住宅、九つの物語』世界文化社。
ミテイラー千穂　二〇一九『サウンドパワー――わたしたちは、いつのまにか「音」に誘導されている』ディスカヴァー・トゥエンティワン。
村田麻里子・山中千恵・谷川竜一・伊藤遊　二〇一〇「京都国際マンガミュージアムにおける来館者調査」京都精華大学紀要第三七号、七八〜九二頁。
山口周　二〇一九『ニュータイプの時代――新時代を生き抜く二四の思考・行動様式』ダイヤモンド社。
レイチェル・L・カーソン（上遠恵子訳）　一九九六『センス・オブ・ワンダー』新潮社。

■著者紹介
小松正史（こまつ・まさふみ）
1971年、京都府宮津市生まれ。
環境音楽家（JASRAC会員）・ピアニスト・音育家。
明治大学農学部（農業土木・緑地学専修）卒業。
明治大学大学院農学研究科博士前期課程（農業経済学専攻）修了。
京都市立芸術大学大学院音楽研究科修士課程（作曲専攻）修了。
大阪大学大学院工学研究科博士後期課程（環境工学専攻）修了。
博士（工学）。
音楽だけではない「音」に注目し、それを教育・学問・デザインに活かす。
学問の専門分野は、音響心理学とサウンドスケープ論。環境音楽を制作し、ピアノ演奏も行う。多数の映像作品への楽曲提供や音楽監督を行う。また、京都タワー・京都国際マンガミュージアム・京都丹後鉄道・耳原総合病院などの公共空間の音のデザインを行う。聴覚や身体感覚を研ぎ澄ませる、独自の音育や耳トレ！のワークショップも、全国各地で実践。
2020年現在、京都精華大学ポピュラーカルチャー学部教授、京都芸術大学客員教授。
おもな著書に、
『サウンドスケープの技法』（昭和堂）
『サウンドスケープのトビラ』（昭和堂）
『みんなでできる音のデザイン』（ナカニシヤ出版）
『１分で「聞こえ」が変わる耳トレ！』（ヤマハミュージックメディア）
『毎日耳トレ！』（ヤマハミュージックメディア）などがある。
Website: http://www.nekomatsu.net
E-mail: masafumi@kyoto-seika.ac.jp

人と空間が生きる音デザイン――12の場所、12の物語

2020年5月30日　初版第1刷発行

著　者　小松正史
発行者　杉田啓三
〒607-8494 京都市山科区日ノ岡堤谷町 3-1
発行所　株式会社　昭和堂
振込口座　01060-5-9347
TEL(075)502-7500／FAX(075)502-7501
ホームページ　http://www.showado-kyoto.jp

印刷　亜細亜印刷

ISBN 978-4-8122-1922-5